작가가 수년간 추척한 공포 실화

오싹한 이야기

오싹한 이야기

작가가 수년간 추척한 공포 실화

이정화 글 · 조승엽 그림

네오
픽션

「보이는 게 다가 아니다」

* 이 책의 이야기는 실화를 바탕으로 만들어졌습니다.

목
차

도시
괴담

1. 핼러윈 데이

핼러윈 데이 축제에서 진짜 귀신을 본다면 어떨 것 같아요? 이런 질문을 제 친구들이나 지인들한테 하면 돌아오는 대답은 대체로 이렇습니다.

"어디서 봤는데? 이야, 오싹하니 제대로 지렸겠다. ㅋㅋ"

"그 말 실화냐? 구라 치는 거 아님?"

"주변에 코스프레한 사람들 많았을 거 아냐. 그 사람들 보고 착각했겠지!"

"귀신인지 분장인지 척 보면 알지 그걸 모르냐?"

이건 다 진짜 귀신을 한 번도 본 적 없는 사람들이 그 심각성과 공포를 모르고 내뱉는 말일 뿐입니다. 저는 그때 겪었던 일을 생각하면 아직도 등줄기가 오싹하고 손이 떨려 옵니다.

아니, 공포와 두려움에 치를 떨죠. 도대체 무슨 일이 있었냐고 요?

2019년 10월, 당시 대학교 4학년이었던 저는 취업 준비로 매우 바쁜 나날을 보내고 있었습니다. 하지만 이번이 학생으로서 보내는 마지막 핼러윈 데이라고 생각하니, 취업 준비와 공부에 찌든 채 평소처럼 흘려보내기가 뭔가 아쉬웠죠. 뭘 하면 좋을까 고민하던 차에, 마침 과에서 제일 친한 친구 승재가 제안을 하나 했습니다.

"나, 여자 친구랑 ○○랜드 핼러윈 축제 갈 건데. 너도 갈래?"

솔로였던 저는 커플 사이에 괜히 끼는 것 같아 망설였지만, 승재 여자 친구도 같은 과 친구였고 같이 가자며 더 적극적인 바람에 결국 셋이 함께 핼러윈 축제에 가게 되었습니다. 정말 엄청난 인파가 몰렸더군요. 입장 전부터 구불구불 끝이 안 보이는 사람들 속에서 저희는 각자 준비해 온 핼러윈 분장 도구와 타투 스티커를 꺼냈습니다. 피눈물부터 기다란 상처, 피부가 벗겨진 이빨까지, 이렇게 다양한 핼러윈 디자인이 있는지 처음 알았어요. 각자 마음에 드는 타투 스티커를 골라 얼굴에 붙이기 시작했습니다. 저는 피눈물 스티커와 입이 볼까지 찢어진 것처럼 양쪽 입가에 긴 상처 스티커를 골라 붙였습니다. 드디어 입장한 놀이공원 안은 그야말로 딴 세상 같았습니다.

"여기가 한국 맞아?"

갑자기 영화 속에 떨어진 것 같은 비현실적인 마을, 그곳에 좀비와 귀신으로 분장한 배우들이 사람들 사이를 마구 돌아다니고 있었습니다. 얼마나 리얼하게 분장을 했는지 눈이 마주치면 저도 모르게 시선을 피할 정도였죠. 귀신 배우들이 다가오면 소리를 지르면서도 함께 사진을 찍으며 신나게 핼러윈 축제를 즐기고 있었습니다. 그러다 어느 건물 옆 구석에 있는 벤치에 혼자 앉아 있는 어떤 여자가 눈에 띄었습니다. 긴 머리를 늘어뜨린 채 붉은 원피스를 입고 있는 여자는 다른 요란한 분장도 없었어요. 그저 핏기 하나 없는 창백한 얼굴에 한 줄기 피눈물뿐이었는데, 분장인데도 왠지 처연해 보이더군요. 게다가 곧 사라질 것만 같은 분위기까지 느껴졌죠.

'와, 나랑 같은 피눈물인데 분위기 쩌네…… 배우인가?'

옆에서 꽁냥대는 친구 커플과 거리 두기 하고 싶었던 저는 저 배우분과 사진이나 찍을까 해서 몇 걸음 다가갔다가, 잠시 쉬시는 것 같아 방해하지 않기로 했습니다. 다른 사람들도 저와 비슷한 생각인가 보다 했어요. 북적거리는 제 주변과 달리, 그 여자 주변으로는 아무도 다가가지 않았거든요. 저도 발을 돌리려던 그때, 여자가 제 쪽을 쳐다봤고 눈이 마주쳤습니다. 여자는 뭔가에 놀랐는지 눈을 커다랗게 뜨고 저를 뚫어져라 쳐다보는데, 방금까지의 처연한 분위기는 온데간데없이 사라지고 왠지 소름이 쫙 끼치는 겁니다. 눈을 피하고 싶었는데 이상하게도 피할 수가 없는 거예요. 그때 그 꺼림칙한 느낌을 무시하지 말았어야 했는데 저는 아는 척까지 하고 말았죠. 쉬는 걸 들켜서 그런가 싶어 저는 웃어 보이며 사진 좀 찍겠다는 의미로 제 핸드폰을 가리켰습니다. 그리고 뒤돌아서 그 여자가 제 배경에 나오도록 셀카를 찍었습니다. 가깝진 않았지만 배경처럼 담길 수 있는 정도의 거리였죠. 한 번 찍고 두 번째 셔터를 눌렀는데 화면에 여자가 보이지 않았습니다. 뒤돌아보니 정말 흔적도 없이 사라졌더라고요. 분명히 화면을 보고 있었는데…… 불과 몇 초 만에 이럴 수가 있나 싶었습니다.

"언제 사라졌지?"

"누가?"

승재가 두리번거리는 저에게 물었습니다. 대충 설명을 하자 승재는 대수롭지 않다는 듯이 이야기했습니다.

"어딘가 있겠지. 야, 더 늦기 전에 빨리 호러 하우스 가야 돼! 거기 진짜 개 무섭대."

전 꺼림칙한 마음을 뒤로하고, 커플 손에 이끌려 곧 그 자리를 떠났습니다. 인터넷에서 무섭기로 유명한 곳인 만큼, 오기 전부터 호러 하우스는 꼭 가야 한다고 벼르고 있었거든요. 저희는 서둘러 호러 하우스로 향했습니다. 진짜 이상함은 그때부터였습니다. 가는 동안 어떤 시선이 느껴졌는데 사람이 너무 많아서 돌아봐도 찾을 수가 없었어요. 그와 더불어 뼈를 에는 듯한 한기가 한 번씩 몸을 스치는데, '감기 기운이 있나?' 싶을 정도로 오한이 드는 겁니다. 그리고 그때마다 바람 소리 같기도 하고 속삭이는 음성 같기도 한 게 희미하게 들려왔어요.

"보인다……."

"찾았다……."

하지만 워낙 주변이 시끄러웠기 때문에 확신할 수가 없었어요. 제가 잘못 들었겠거니 하고 그냥 넘길 수밖에 없었습니다. 이상한 느낌은 거기서 그치지 않았어요. 호러 하우스에 가까워질수록 누군가 제 옷을 잡아당기는 느낌마저 드는 겁니다. 저는 옆에 있던 승재 여자 친구에게 물었습니다.

"네가 나 잡아당겼냐?"

"아니. 내가 왜?"

승재 여자 친구는 절대 저를 잡아당길 수 없었습니다. 한 손은 추로스를, 다른 손은 승재 손을 잡고 있었거든요.

'그럼 누가 잡아당긴 거지?'

사람들한테 치여서 그런 건가 생각하는 사이 호러 하우스 앞에 도착했습니다. 안에서는 여자들의 돌고래 같은 하이톤뿐만 아니라 굵직한 남자들의 비명과 욕설까지 들리더라고요. 한껏 기대감이 차오르면서도 오는 동안 오싹오싹한 기분이 계속돼서 그런지, 솔직히 들어갈까 말까 살짝 고민했는데요. 안 들어간다고 했다가는 쫄보로 낙인찍혀서 졸업할 때까지 고생할 것 같아 차마 입 밖으로 그 말을 꺼낼 수 없었습니다. 저희 차례가 다가와 직원의 안내를 받고 있는데, 제 시야 한쪽에서 붉은색이 스쳐 지나가듯 보였어요. 그런데 왠지 느낌상 그쪽으로 시선을 주면 안 될 것 같더라고요. 그래서 의식적으로 그 방향으로 고개도 돌리지 않았습니다.

"'도저히 못 가겠다, 더 이상은 죽어도 못 간다!' 하시는 분은 머리 위로 손을 X 자로 들어 주시면, 저희 직원이 안내를 도와드립니다."

여섯 명이 한 조로 들어가다 보니 저희는 앞 팀과 한 조로 묶였습니다. 직원의 안내에 따라 조별로 줄을 잡고 일렬로 섰고, 제가 맨 끝에 서게 됐죠. 드디어 입장. 호러 하우스의 입구 안쪽으로 발을 들이자마자 정말 한 치 앞도 보이지 않았습니다. 으스스한 분위기 속에 스피커에서 나오는 찢어질 듯한 비명 효과음까지 더해져 심장이 요동치기 시작했어요. 저희 조는 맨 앞사람의 조명에 의지해 천천히 앞으로 나아갔습니다. 뭐가 나오지도 않았는데 벌써부터 비명은 시작됐고, 좀비 분장을 한 배우들이 사방에서 튀어나올 때마다 저희는 정신줄을 놓고 소리를 질러 댔습니다. 비명과 욕설이 난무하는 가운데, 반 정도 갔을까? 갑자기 누군가 옆에서 제 팔을 홱 잡아당겼습니다. 그런데 붙잡힌 팔에서, 아까 오면서 느꼈던 뼈에 사무치는 한기가 옷을 뚫고 느껴지는 겁니다. 그때야 비로소 깨달았어요.

'아, 이거 사람 아니다!'

화들짝 놀란 저는 팔을 뿌리치며 고함을 쳤습니다.

"빨리 가! 빨리 가라고!"

그러자 이번에는 그 한기가 제 목을 휘어잡듯이 잡아당겨 중심을 잃고 넘어졌습니다. 잡고 있던 줄도 놓치고 말았어요. 승재 커플도 제가 떨어져 나간 걸 알았는지, 다급히 제 이름을 부르는 소리가 들려왔습니다. 그런데 넘어짐과 동시에, 누군가 저의 뒷덜미를 잡아끄는데 반항할 틈도 없이 질질 끌려갔습니다. 제가 80kg이 넘는데 말이죠. 관람객용 코스가 아닌 어떤 숨겨진 공간으로 저를 끌고 들어가는 것 같았어요. 이대로 끌려가면 왠지 죽을 것 같은 공포에 사로잡힌 저는 목이 터져라 승재를 불렀습니다. 그때, 등골이 오싹해질 정도의 서릿발 긴 목소리가 제 귓가에 꽂히듯 들렸습니다.

"봤잖아. 나 봤잖아."

"나랑 가! 넌 나랑 가야 해!"

그 소리에 온몸이 얼어붙은 것처럼 말을 안 듣는 지경이 되어서 일어날 수가 없었습니다. 그저 고개를 살짝 돌려 뒤쪽을 쳐다봤어요. 대체 무엇이 날 이렇게 잡아끄는가. 짐작하셨겠지만, 제 뒷덜미를 붙잡고 있는 건 아까 벤치에서 본 그 붉은색 원피스의 여자였습니다. 가까이서 그 여자를 본, 그때의 공

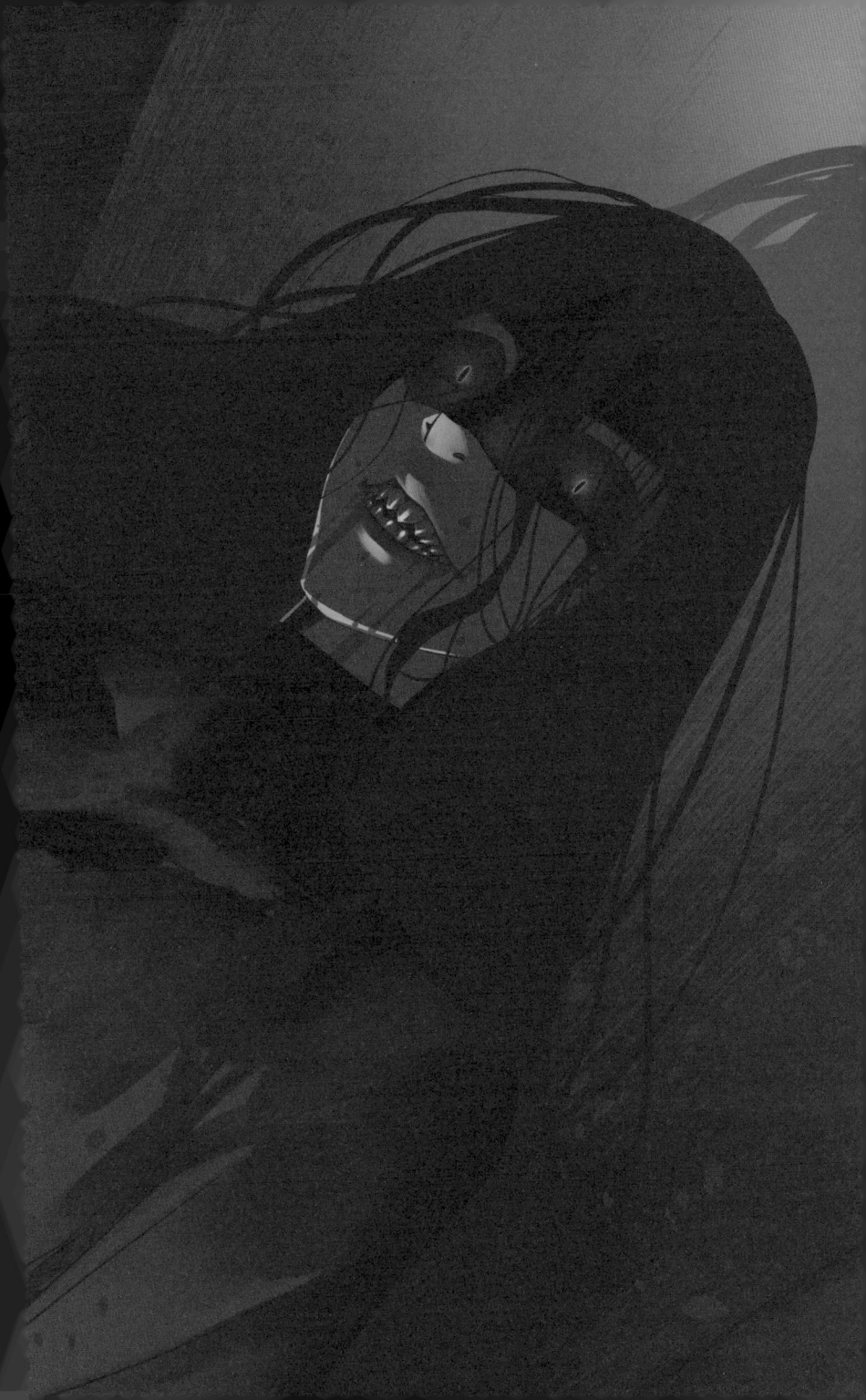

포는 정말 말로 표현이 안 되네요. 일단 그 창백함은 분장이 아니라 시체에서나 볼 법한 그런 창백함이었고요. 그 원피스는 원래 붉은색이 아니더라고요. 그 여자의 목에 가로로 그어진 선에서 울컥울컥 솟는 피가 하얀 원피스 앞판을 온통 붉게 적신 것이었습니다. 그 모습을 보는 순간, 제 뒷덜미를 잡은 팔을 붙잡고 발버둥 치면서 정말 죽을힘을 다해 살려 달라고 소리쳤습니다.

그러자 여자가 제 눈앞으로 얼굴을 들이밀었습니다. 그러고 잠시 제 얼굴을 관찰하듯이 바라보다가 씨익 웃는데…….정말 믿을 수 없는 일이 눈앞에 펼쳐졌습니다. 여자가 웃듯이 입꼬리를 올리기 시작하는데, 입꼬리가 올라가다 못해 피부가 점점 찢어져 살점이 드러나는 상태로 양쪽 귀까지 벌어지는 겁니다.

말문이 막힌 채 그 모습을 보다가 문득 깨달았습니다. 피눈물과 귀까지 찢어진 입. 바로 제가 한 분장과 같은 얼굴이라는 것을요.

"으아아아악!"

"넌 내 거야! 내 거야! 내 거야!"

제 코앞에서 기괴하게 웃으며 소리치는 그 여자를 더 이상 견디지 못하고 저는 그만 기절하고 말았습니다. 정신을 차려 보니, 저는 호러 하우스 밖에 나와 있었고, 승재 커플과 호러

하우스 직원들에게 둘러싸여 있었습니다. 제가 줄을 놓치고 사라진 후 승재 커플이 아무리 불러도 제가 나타나지 않자, 머리 위로 X를 들어 직원을 호출했다고 하더라고요. 그렇지 않아도 제가 경로를 이탈해 어디론가 사라지는 모습을 발견한 직원이 있었고, 바로 달려와 주변을 찾아보니 몇 미터 떨어진 직원용 통로에 제가 쓰러져 있었다고 합니다. 제가 두리번거리며 '귀신……'이라고 중얼거렸나 봅니다.

평소 같으면 승재가 엄청 놀렸을 텐데, 식은땀에 절어 기절까지 한 저를 보고 차마 놀리지는 못하고 귀신이 어디 있냐고 묻더군요. 저는 대답 대신 반납했던 제 핸드폰을 찾으러 뛰어갔습니다. 아까 그 여자를 배경으로 찍은 사진이 생각났거든요. 되찾은 제 핸드폰에서 사진을 찾아본 저는 핸드폰을 떨어뜨릴 뻔했습니다. 분명 첫 번째 사진에서 여자는 배경처럼 제 뒤쪽에 멀리 있었는데, 불과 1초도 안 되는 시간 뒤에 찍은 두 번째 사진에서는 그 여자가 제 어깨 바로 뒤에 와 있었습니다.

아까 그 얼굴처럼, 제 분장과 똑같이 입을 귀까지 찢어 웃으면서 마치 커플 사진이라도 찍듯이 말이죠. 그렇게 저는 학생으로서의 마지막 핼러윈 데이를 평생 잊을 수 없는 공포 속에서 보냈습니다. 그 이후로 저는 절대 핼러윈 분장을 하지도, 핼러윈 축제를 가지도 않습니다.

2. 마라탕 중독

"마라탕…… 마라탕…… 마라탕……."

제 별명은 '마라탕 중독자'입니다. 언제부터였더라. 6~7년 쯤 된 것 같네요. 저놈의 음식이 머릿속에서 떠나질 않는 게 말이에요. 요즘처럼 마라탕이 유행하기 몇 년 전, 그날 이후부터 저는 마라탕에 미쳐 있습니다. 아직까지도요. 정확한 시기가 기억나지 않는 이유는 아마도 그날 일이 너무 충격적이라제 뇌가 자세히 기억하고 싶지 않나 봅니다. 그런 거라면 그날의 기억을 몽땅 삭제해 주면 좋으련만, 그 소름 끼치던 광경만은 아직도 제 머릿속에 박제되어 있습니다. 그리고 그 맛! 잊으려 해도 잊을 수 없는 그 맛 때문에 저는 아직도 고통받고 있습니다.

마라탕이 마라탕 맛이지 뭐 별다를 게 있겠냐 생각하실 수도 있습니다만, 그 마라탕 맛을 본 사람이라면 제 말이 무슨 말인지 알 겁니다. 아, 같이 먹어 본 제 동료는 그날 이후로 마라탕의 '마'자도 보기 싫다고 아예 끊어 버렸네요. 하지만 어딘가에는 저 같은 사람이 또 있을 거라고 생각합니다. 잠깐이나마 서울에서 버젓이 영업을 했던 마라탕 가게였으니까요.

그날 이후로 그 가게는 사라졌지만요. 대체 무슨 일이 있었냐고요? 그때의 일을 떠올리는 날이면 꼭 가위에 눌리는데……. 하지만 이렇게까지 말해 놨으니 얘기를 안 할 수가 없네요. 좋습니다. 얘기해 드리죠.

당시 이직한 지 얼마 되지 않았던 저는 회사에 적응하는 시기였던지라 꽤나 스트레스를 받고 있었습니다. 스트레스 푸는 데는 매운 음식이 최고인 거 아시죠. 평소에도 매운 음식을 좋아하던 저는 스트레스도 풀 겸 주말마다 매운 음식으로 유명한 맛집을 찾아다녔습니다. 우리나라에는 정말 다양한 매운 음식이 있습니다만, 두 달쯤 지나자 뭔가 색다른 메뉴가 먹고 싶어졌습니다. 그러던 중 야근이 확정된 어느 날, 중국 유학 시절에 쓰촨성에 가서 먹어 봤던 마라탕이 생각났습니다. 당시는 지금처럼 마라탕 가게가 많지 않아서 간절한 마음으로 배달 앱을 켰습니다. 검색해 보니 회사까지 배달 가능한 곳에 마라탕 가게가 있었어요! 별점도 5점 만점에 후기도 칭찬 일색이었습니다. 줄 서서 먹는 집이라고 하더라고요. 저는 같이 야근하는 동료에게 동의를 구한 후 망설이지 않고 마라탕을 주문했습니다. 쓰촨성에서 먹었던 그 맛이 날까 두근거리는 마음으로 기다리고 있었죠. 한 40분쯤 지났을까, 배달 기사가 도착했습니다.

맛집 치고 배달이 빠르다고 좋아하며 동료와 저는 포장을 벗겼습니다. 마라탕의 모습이 드러나자 우리는 감탄사가 절로 나왔어요. 국물이 있는 배달 음식 치고 사실 비주얼이 좋기 힘들잖아요. 그런데 그 마라탕은 푸짐한 데다 국물의 붉은 빛깔이 어찌나 먹음직스러운지. 저는 사진 찍을 겨를도 없이 국물부터 한 숟가락 떠먹었어요. 그 순간, 정말 그날의 모든 스트레스가 날아가는 것 같았습니다. 깊고 풍부한 육수, 거기서 느껴지는 딱 적절한 화자오의 맛, 그리고 약간의 불맛.

사실 탕에 들어간 고기와 야채 등은 쉽게 구할 수 있는 재료였지만, 그 모든 재료가 최적의 조합으로 어우러져 만들어낸 국물이 정말 일품이었습니다. 중국에서 먹었던 마라탕보다 맵기는 덜했지만 훨씬 입맛에 맞았습니다. 설명할 수 없을 정도로 너무 맛있었어요. 저만 그랬던 게 아니었습니다. 허겁지

겁 먹던 우리가 정신을 차려 보니 어느새 그릇은 국물까지 싹 비워 바닥을 보이고 있었으니까요. 그날 이후부터 이상할 정도로 그 마라탕이 자꾸 생각났습니다. 무슨 강력한 마약이 들었나 싶을 정도로 머리에서 떠나질 않았어요. 그런데 그 후로 주문하려고 배달 앱을 켤 때마다 '준비 중' 상태인 겁니다. 하루, 이틀…… 일주일이 넘게 먹고 싶은 걸 못 먹으니 그건 그것대로 스트레스더라고요.

도저히 못 참겠다 싶은 어느 날. 그날도 야근을 마치고 퇴근하려다 전에 같이 마라탕을 먹었던 동료에게 물었습니다.

"전에 먹었던 마라탕 집 찾아가 볼 건데 같이 갈래요?"

"오~. 마라탕에 고량주 한잔?"

"콜!"

동료 역시 계속 생각났었다며 오히려 앞장서더라고요. 내비게이션에 가게 주소를 찍고 찾아가는데, 도착이 가까워질수록 의아해졌어요. 대로변이 아닌 좁은 골목의 주택가로 안내하는데, 골목에 접어들어서도 한참을 가야 했습니다. 인적마저 사라진 관악산 어귀 근처까지 가서야 '목적지에 도착했습니다.' 하는 안내 멘트가 나오는 겁니다. 차에서 내려 주변을 둘러보니 정말 재개발이 절실해 보이는 구옥 한 채와 텃밭이 보였습니다. 잘못 왔나 싶어 짜증이 나려던 찰나, 그 구옥에 간판이 있었는지 불이 반짝 들어왔습니다. 상호도 없이 '마라탕'이라고만 쓰인 간판이 깜박이다 곧 꺼지더라고요.

구옥을 개조한 가게인 것 같아 열린 대문으로 들어가 보니, 창문으로 가게 홀이 보였습니다. 그런데 줄 서서 먹는다는 후기와 달리 홀은 텅 비어 있었습니다. 아직 영업시간이었는데 말이죠. 들어가 보니 안내하는 종업원도 하나 보이지 않았어요. 심지어 주방 쪽은 어두컴컴했습니다.

"영업 안 하는 거 아니에요? 그냥 갈까요?"

"문 다 열려 있었잖아요. 여기까지 왔는데……. 일단 앉아 있어 보죠."

동료는 왠지 으스스하다며 가게 안을 두리번거렸지만, 저는 그동안 못 먹었던 게 억울해서 이대로 그냥 갈 수가 없었습니다.

우리가 창가 쪽 테이블에 막 자리를 잡고 앉을 때였습니다.

"끼기기기긱!"

주방 쪽에서 귀를 찢는 쇳소리가 들려왔습니다. 깜짝 놀란 우리는 조용히 귀를 곤두세웠어요. 칼날을 긁는 듯한 괴이한 소리가 이어졌고, 저는 그 쇳소리에 머리끝까지 소름이 돋아 몸서리를 쳤습니다. 동료는 느낌이 안 좋다고 그냥 나가자 했지만, 저는 그래도 사람이 있다 싶어서 주방 쪽으로 다가갔습니다. 어두컴컴한 주방을 둘러보니, 대형 가마솥이 얹힌 화덕이 있었고 그 주변에 촛불이 몇 개 켜져 있었습니다. 이상한 건 가마솥 위쪽 벽에 부적이 다닥다닥 붙어 있었습니다. 그 앞에는 등이 구부정하고 기력이 없어 보이는 어떤 아저씨가 혼자 서 있었는데, 양손에 네모난 중식도를 하나씩 들고 있었습니다. 그런데 그 아저씨의 양 손목부터 팔뚝 위까지 붕대가 칭칭 감겨 있는 걸 발견했어요. 그동안 팔을 다쳐서 영업을 못했나 싶더라고요.

말을 걸려는 찰나, 아저씨가 두 칼날을 맞대서 긁어 대기 시작했습니다. 소름 끼치는 소리가 다시 들렸죠. 온몸의 털이 바짝 서 절로 몸서리치는 그때, 아저씨가 가마솥 뚜껑을 열었습니다. 그러자 보글보글 끓는 소리와 함께 마라탕의 향기가 저를 확 덮쳐 왔어요. 홀린 듯이 가마솥을 쳐다보고 있는데, 아저씨가 가마솥 안을 물끄러미 들여다보다가 중얼중얼하더라고요. 자세히 들어 보니.

"부족해…… 아직도 부족해…….."

그러더니 이번엔 갑자기 알아들을 수 없는 말을 중얼거리면서, 주머니에서 부적을 하나 꺼내더니 불을 붙여 태우다가 가마솥 안에 던져 넣는 겁니다.

'음식에다 뭔 짓이야? 내가 저런 걸 먹은 거란 말이야?'

이건 아니다 싶어서 항의하려는데 누군가 제 팔을 붙잡았습니다. 깜짝 놀라 돌아보니 어느샌가 옆에 와 있던 동료였어요. 그때 갑자기 홀의 조명이 불길하게 깜박거리기 시작했고,

두둑두두둑 뼈 부러지는 소리가 귀를 파고들었습니다. 그 순간 주방 안을 보던 동료가 입을 틀어막는 거예요. 주방 안을 다시 돌아봤죠.

'뭐야?'

뼈 부러지는 소리는 아저씨의 등에서 나는 소리였습니다. 구부정하던 척추를 하나하나 펴듯이 기괴하게 꺾다가 고개를 확 젖히자 등이 일자로 펴지는 겁니다. 게다가 덩치가 아까보다 훨씬 커진 것 같았어요. 엄청난 위압감이 몰려왔습니다.

'설…… 설마?'

불길함이 엄습하던 그때, 아저씨가 손목의 붕대를 풀어헤쳤습니다. 그 맨 손목을 보는 순간 저는 그대로 얼어붙고 말았어요. 손목과 팔뚝에는 난도질한 것처럼 수없이 많은 자해의 흔적이 있었고 생긴 지 얼마 안 된 듯한 붉은 선들도 선명히 보였죠. 이게 무슨 상황이지 싶은 찰나 아저씨가 중식도를 들어 한 치의 망설임도 없이 자기 팔뚝을 그어 내렸습니다. 저와 동료는 둘 다 본능적으로 입을 틀어막았어요.

절대 소리를 내면 안 될 것 같았거든요. 그 뒤에 이어진 아저씨의 행동에 우리는 기겁하고 말았습니다. 중식도를 내팽개친 아저씨는 울컥울컥 새빨간 피가 흐르는 팔뚝을 그대로 가마솥 위로 가져가는 겁니다. 그러고는 주르륵 흐르는 피를 그대로 가마솥 안으로 떨어트렸습니다. 피가 굳어 덩어리지

지 않도록 기다란 국자로 가마솥을 휘저으면서요. 그러다 고개를 홱 돌려 퀭한 눈으로 우리를 보더니 낄낄거리고 웃는 겁니다.

다 알고 있었다는 듯이요. 그곳에 어떻게 더 이상 있을 수가 있겠어요. 우리는 누가 먼저랄 것도 없이 비명을 지르며 문을 향해 달려갔습니다. 하지만 이놈의 몸뚱이가 말을 듣지 않았죠. 우당탕 요란한 소리와 함께 테이블에 걸려 넘어지고 말았습니다.

'빌어먹을…….'

재빨리 일어서는데, 먼저 문 앞에 도착한 동료가 울부짖으며 미친 듯이 문을 흔들어 댔습니다. 문이 밖에서 잠겨 있었던 겁니다! 저도 얼른 달려가 흔들었지만 하필 철문이라 꿈쩍도 하지 않았어요. 몸으로도 부딪쳐 봤지만 남자 둘이 아무리 해도 역부족이었습니다. 살려 달라고 외치는 그때, 뒤에서 저벅저벅 걸어오는 소리와 함께 지하도 뚫을 듯이 낮은 목소리가 윙윙거리며 들려왔습니다. 다급히 뒤돌아보니 아저씨가 양손에 김이 오르는 대접을 하나씩 들고 주문 같은 걸 읊조리며 다가오는 겁니다.

가까이서 본 아저씨의 얼굴은 더욱 충격적이었습니다. 핏기가 하나도 없는 거적 같은 피부가 얼굴뼈에 붙어 있는 것처럼 사람 같지가 않아 보였어요. 그런 얼굴로, 팔에서 피를 뚝 뚝 흘리면서, 빠르지도 않은 걸음으로 점점 다가오고 있었습니다. 저는 목이 터져라 외치며 필사적으로 문을 흔들어 댔습니다. 그런데 같이 소리치던 동료가 갑자기 조용해지는 거예요. 불안한 마음에 쳐다보니 동료가 눈을 까뒤집은 채 멍하니 서 있는 것이었습니다. 그런 동료의 모습을 보자 저 또한 온몸이 얼어붙은 것처럼 꼼짝할 수가 없었습니다.

"喝光!(다 마셔!) 喝光它!(다 마셔라!)"

어느새 코앞까지 다가온 아저씨가 갑자기 중국어를 내뱉으며 김이 펄펄 나는 대접을 우리에게 내밀었습니다. 아까 그 가마솥 안에서 끓던 마라탕 국물이었습니다. 아직도 펄펄 끓는 걸 마시라니……. 저도 모르게 온몸이 거부하듯 고개만 내젓고 있는데, 동료는 흰자만 보이는 눈을 한 채 그릇을 받아들고 그 뜨거운 걸 꿀꺽꿀꺽 마시는 겁니다. 보는 제 목이 타들어가는 것 같았어요. 그 모습이 흡족한 듯 낄낄거리던 아저씨는 저에게도 당장 마시라며 대접을 재차 내밀었습니다.

"저리…… 치워!"

하지만 멀쩡한 정신으로 어떻게 그걸 마실 수가 있겠습니까? 거부하는 저를 붙잡으려는 순간 저는 아저씨가 들고 있던 대접을 힘껏 쳐냈습니다. 마라탕이 온 가게 안에 엎질러지자, 아저씨는 괴성을 지르며 제 머리채를 휘어잡았습니다. 그리고는 주머니에서 노란 뭉치를 꺼내더니 발악하는 제 입에 쑤

서 넣으며 흉측한 얼굴로 고함을 질렀습니다. 마치 저주하는 것처럼요. 그가 내뿜는 악의에 죽을 것 같아 저는 더는 버티지 못하고 그만 기절하고 말았습니다.

뼛속까지 밀려드는 새벽 찬 공기에 눈을 떠보니, 저와 동료는 마라탕 가게 대문 밖에 널브러져 있었습니다. 입속에 뭐가 가득해 뱉어 보니 흥건히 젖은 부적 뭉치였습니다. 아직 깨어나지 못한 동료의 상태는 심각했어요. 입 주변과 입안에 수포가 가득했고 진물까지 흐르고 있었습니다. 아마 식도와 내장까지 화상을 입은 듯해 급히 119를 부르고는 가게 대문으로 다가가 밀어 봤지만 문은 굳게 잠겨 있었습니다.

다리에 힘이 풀려 주저앉아 있는데, 뱉어 버린 부적 뭉치가 눈에 들어왔습니다. 혹시 무슨 단서가 될까 펼쳐봤는데, 제일 안쪽에 뭉쳐 있던 부적 하나를 그나마 살릴 수 있었습니다. 곧 119 구급대가 도착했고 그제야 우리는 악몽 같은 그곳을 벗어날 수 있었습니다.

그 이후로 가끔 정신을 잃는 순간들이 있었는데, 정신을 차리고 보면 집에 마라탕 재료가 잔뜩 쌓여 있거나 마라탕을 끓이고 있었습니다. 저는 요리를 할 줄 모르는데 말입니다. 결국 그때 살려 냈던 부적을 들고 무당을 찾아갔습니다. 무당은 저를 보자마자 호통을 치더라고요.

"귀신 불러내는 흉악한 걸 왜 온몸에 처바르고 있어!"

그건 강령술에 쓰이는 부적이고, 제 입에서 훼손되면서 그 기운이 저에게 스며들었다는 겁니다. 결국 굿을 하고 나서야 정신을 잃는 일이 없어졌습니다. 어이가 없는 건, 이후에도 그 마라탕의 맛이 자꾸 생각난다는 겁니다. 거기에 뭐가 들어가는지를 다 봤는데도요. 결국 직접 만들어 보고자 온갖 마라탕 레시피를 섭렵해서 따라 만들어 보고, 부적을 태운 재도 넣어 봤습니다. 하지만 결코 그 맛을 낼 수는 없었습니다. 그건 정말 사람이 만든 게 아니라 강령술로 만들어진 마라탕인 걸까요?

3. 지옥철

2014년 5월 2일.

저에게 그날은 평생 잊을 수 없는 날이에요. 아무리 생각해도 그때, 죽음의 문턱까지 갔다 온 것 같거든요. 대낮에, 그것도 다수가 이용하는 지하철에서 말이지요. 그때를 떠올리는 것만으로도 아직도 식은땀이 날 정도지만, 한동안은 매일 생각하고 또 생각할 정도로 괴이한 일을 겪었답니다. 그 당시로 돌아가 볼게요.

저희 회사가 합정역, 고객사가 성수역이라 한 번에 가는 2호선 전철을 탔어요. 4시 미팅이었기 때문에, 합정역에서 지하철을 탄 게 오후 3시 좀 넘어서였을 거예요. 그 시간에도 앉을 자리가 없을 만큼 승객이 꽤 있었는데, 홍대 입구역에 도착하니 자리가 나더라고요. 속으로 쾌재를 부르며 신나게 앉았지요. 미팅 준비는 거의 해 놓은 상태여서, 저는 평소처럼 이어폰을 끼고 음악을 들으며 피곤한 눈을 잠시 감고 있었어요. 얼마나 지났을까, 저는 무의식적으로 눈을 뜨고 말았어요. 누군가가 저를 쳐다보는 듯한 느낌이 들더라고요.

시선 쪽을 바라보니 아니나 다를까, 맞은편 왼쪽 끝에 앉은 남자가 저를 쳐다보고 있었어요. 30대 후반쯤으로 보였는데 퀭한 눈에 거무튀튀한 안색이었고, 검은 후드 티에 후드까지 뒤집어쓰고 검은 바지에 검은 신발…… 온통 시커먼 차림이었어요. 눈이 마주치면 피할 거라고 생각했는데, 오히려 더 눈을 부릅뜨고 아주 뚫어져라 쳐다보지 뭐예요.

'뭐냐, 쎄하다……. 정상 아닌 거 같은데.'

결국 제가 먼저 눈을 피하고 말았는데요. 잠시 후 아직도 보나 싶어 그 남자 쪽을 슬쩍 봤는데, 아직도! 아니, 이제는 아주 잡아먹을 듯이 저를 노려보고 있는 거예요.

'뭐야……. 왜 저래?'

그 시선이 못 견디게 불편해서 저는 그냥 자리에서 일어났어요. 변태인지 스토커인지 알 수 없으니 일단 피하고 보자는 마음에, 다른 칸으로 넘어갔지요. 편히 갈 수 있는 기회를 날리게 한 그 남자를 향해 속으로 욕을 퍼부으며 전철 칸의 문을 닫으려던 그때, 저는 온몸에 소름이 끼친다는 게 뭔지 알게 됐어요. 문에 있는 유리창으로, 아까 그 검은 후드 티의 남자가 저를 따라 이쪽 칸으로 걸어오는 게 보이는 거예요! 또 눈이 마주치고 말았어요. 아니, 그 남자는 한시도 저에게서 눈을 떼지 않는 거였어요.

웬 모르는 시커먼 남자가 저러고 쫓아오니 얼마나 무섭겠어요. 아마 세상 모든 여자분들은 다 아실 거예요. 그때부터 심장이 벌렁거리고 손에 땀까지 차기 시작했어요. 잡히면 안 되겠다는 생각에 사람들을 헤치며 도망쳤어요. 그 칸엔 유독 사람이 많더라고요. 오히려 잘됐다 싶어 사람들 사이를 뚫고 계속 나아갔어요. 멈춰서 뒤를 흘깃 볼 때마다 시커먼 게 계속 보이는 것 같아 뒤로 이동하다 보니 어느덧 열차의 마지막 칸까지 가게 됐어요.

더 이상 갈 곳이 없으니 어쩌겠어요. 딱히 뾰족한 수는 아니었지만, 몇 사람이 서 있는 출입문을 골라 문 앞으로 붙어 섰어요. 남자가 여기까지 오더라도, 사람들에 가려서 혹시 못 보고 지나칠 수도 있으니까. 그런 일말의 가능성을 두고 문을 향해 서 있다가, 문이 열리면 잽싸게 내려서 다음 열차를 타야겠다는 계산이었지요. 여기까지는 그냥 '오늘 정말 재수가 없구나.' 할 수 있는데, 정말 이상한 건 이때부터였어요. 늦진 않겠지 하며 핸드폰 시계를 힐끗 봤어요. 그런데…….

시간이 왜 아직도 3시 13분일까요? 제가 10분쯤에 탄 것 같

은데? 몇 정거장은 지나온 것 같은데? 왜 아직도……. 그러고
보니 뭔가 공기도 이상했어요. 분명히 낮인데, 지하라서 정확
히 알 수는 없었지만 밤공기, 그것도 늦은 새벽같이 서늘하고
습한 느낌인 거예요. 게다가 소름 돋는 의문점 하나 더.

칸을 지나오는 동안 어느 누구의 얼굴도 본 적이 없다는 걸
깨달았어요. 마치 모두가 저에게 등을 돌리고 있었던 것 같
은…… 어떻게? 나는 열차 칸을 가로지르고 있었는데?

잘못 본 거였겠죠? 너무 정신이 없었으니까……. 아니면 말
이 안 되잖아요. 생각할수록 등골이 오싹해지던 그때, 제 등
뒤로 누군가가 몸을 바짝 붙이고 서는 거예요. 유리창에 비친
걸 보니, 뒤에 있던 사람들은 어디로 갔는지 다 사라졌고 그
검은 후드 티의 남자가 제 뒤에 붙어 있었어요.

'아, 이놈은 변태구나!' 하는 판단과 함께 팔꿈치를 날리려던
그때, 제 귓가에 남자의 기분 나쁜 웃음소리가 파고들었어요.

"흐흐흐……. 넌 죽을 거야."

'이게 무슨!'

반사적으로 돌아서서 남자를 밀치고 소리를 지르려다가 저
는 그 자리에 꼼짝없이 굳어 버리고 말았어요. 열차 칸에 있는
사람들이 정말로 하나같이 저에게서 등을 돌리고 있는 거예
요.

더 기괴한 건, 제가 그 모습을 인지하자마자 약속이라도 한

것처럼 한꺼번에 모두가 몸을 돌려 저를 쳐다보기 시작했어요. 그 얼굴들은…… 사람의 것 같지가 않았어요. 모두가 눈동자 없이 흰자위만 부릅뜬 채 저를 주시하고 있었거든요. 와, 정말…… 그 허연 시선에 쏘여 죽을 것 같은 기분이라 하면 이해가 가실까요.

다급히 문을 열고 도망치고 싶었지만 달리는 전철이라 그럴 수는 없잖아요. 그렇다고 그 자리에 그대로 있을 수도 없었어요. 흰자위로 노려보는 저 무시무시한 사람들 사이를 뚫고 지나가는 것도 무섭고, 검은 후드 티의 남자는 더 공포스럽고 정말 미치겠더라고요. 그래도 어쩌겠어요. 저는 일단 검은 후드 티의 남자를 밀치고 구석에서 벗어났어요. 그러면서 내릴 문이 어느 쪽인지 전광판을 쳐다봤어요. 그때 안내 방송이 나오기 시작하는데.

"이번 역은 이 열차의 종점인 상왕십리, 상왕십리역입니다. 내리실 문은……."

종점이라니요? 이 전철은 순환선인데……. 저는 성수역까지 가려고 분명히 순환선을 탔는데? 뭔가 잘못됐다 싶었던 저는 기도만 했어요.

'제발 빨리 역에 도착해라.'

마음속으로 빌고 또 빌면서, 저를 향해 또다시 다가오는 저 검은 후드 티로부터 일단은 멀어져야겠다고 생각했어요. 그런데 남자를 벗어나려면 허연 눈으로 제 움직임을 쫓아 고개만 움직이는 그 많은 사람들의 기괴한 모습을 뚫고 지나가야하는데, 너무 무서워서 다리가 후들거리는 거예요.

그래도. 지금 다른 방법은 없으니까.

'눈 딱 감고 달리자.'

마음속으로 하나둘 셋을 외치고 한 발짝을 떼는 순간, 제 결행이 무색하게도, 검은 후드 티의 남자가 엄청 강한 힘으로 제 팔을 잡아챘어요. 그리고 악력으로 제 팔을 부술 듯이 쥐는 바람에 저는 비명을 지르고 말았어요.

"아아악! 이거 놔!"

그러자 제 비명이 신호라도 된 듯 허연 눈의 사람들이 움직이기 시작했어요. 젠장!

다들 벌떡 일어나 저를 향해 다가오는 거예요.

"거기 서! 움직이지 마! 오지 말라고!"

정말 심장이 터질 듯이 뛰다 못해 발등까지 쿵 떨어지는 느낌이었어요. 제가 아무리 검은 후드 티의 남자를 뿌리치려 해도 붙잡힌 팔은 꿈쩍도 하지 않았고, 앞에서는 희번덕희번덕한 눈의 그들이 제가 도망갈 통로를 다 막으며 마치 토끼몰이하듯이 점점 다가오고 있었어요. 저를 향해 손까지 뻗으면서요.

조금이라도 피해 보려고 마구 발버둥 치던 저는 그만 바닥에 넘어지고 말았어요.

"흐흑……. 오지 마! 저리 가!"

저도 모르게 눈물이 터져 나왔고, 동시에 악에 받친 고함을 질러 댔어요. 아무리 해도, 아무리 발버둥을 쳐도 도망갈 수가 없자, 절망보다는 이판사판이라는 생각이 들더군요. 그 수많은 손들이 저를 덮치려는 찰나, 악을 써 대며 검은 후드 티의 남자에게 미친 듯이 발길질을 했어요. 그 순간, 번쩍 눈이 떠졌어요. 주변을 둘러보니 멀쩡한 눈의 승객들이 저를 이상한 사람 보듯 쳐다보고 있는 거예요.

'뭐야……. 꿈이야?'

안도하는 것도 잠시. 제가 있는 그곳은 열차의 마지막 칸이었고, 맨 끝 문가의 봉 손잡이에 제가 팔을 걸고 거의 매달려 있더라고요.

'그럼 검은 후드 티한테 팔이 붙잡혔던 건 손잡이였다 치고, 여기까지는 어떻게 온 거지?'

아무리 생각해도 이해가 안 됐어요. 몽유병이 있는 것도 아닌데……. 손끝이 차갑게 식어가는 그때, 안내 방송이 들려왔어요.

"이번 역은 상왕십리, 상왕십리역입니다. 내리실 문은……."

다행히 종점이라는 안내 방송은 아니었지만, 저는 더 이상 이 열차에 타고 싶지 않았어요. 문이 열리자마자 재빨리 내린 저는 스르륵 다리에 힘이 풀려 문 앞에 그대로 주저앉고 말았어요.

잠시 후, 안도의 한숨을 내쉬고 일어났을 때까지도 열차는 출발하지 않고 그대로 있더라고요. 저는 나가서 택시를 탈지 그냥 다음 열차를 타고 갈지 고민하며 승강장을 걷고 있었어요. 그런데,

"콰앙!"

커다란 굉음이 지하 공간 전체를 울렸어요! 곧이어 와장창 유리 깨지는 소리와 함께 거대한 바람이 훅 저를 덮치는 바람에 저도 모르게 또다시 주저앉고 말았어요. 비명을 지르며 도망치는 사람들과 폭탄을 맞은 듯한 잔해들로 주변은 아수라장이 되었지요. 이게 대체 무슨 일이었을까요?

알고 보니 열차가 출발하기도 전에, 뒤에서 다른 열차가 들어와 미처 멈추지 못하고 그대로 들이받은 거였어요. 제가 타고 있었던 열차, 그 마지막 칸을 말이지요. 유리창이 모두 깨진 채 탈선까지 된 그 칸에 제가 타고 있던 게 불과 몇 분 전이잖아요. 눈앞의 광경을 믿을 수가 없어 그 사태 속에서도 멍하니 서서 바라볼 수밖에 없더라고요. 곧 승객들의 대피령이 떨어졌고 안내에 따라 저도 떠밀리듯 이동하다가, 승강장을 빠져나가기 바로 직전 왜인지 모르게 그 칸을 다시 돌아봤어요. 그 순간, 정말 온몸의 피가 얼어붙는 것 같았어요.

찌그러진 열차 안에 검은 후드 티의 남자가 있는 거예요! 멀어서 확신할 수는 없지만 저를 바라보고 있는 게 느껴졌어요. 눈을 비비고 다시 봤을 땐 구조 작업을 하는 사람들 틈으로 곧 사라졌지만 분명히, 그 남자는 그곳에 있었어요. 분명히요. 나중에 기사를 보니, 다행히 사망자는 없었지만 388명이나 부상을 당한 큰 사고였더라고요. 구사일생. 정말 간발의 차이로 살아났다는 생각을 떨칠 수가 없어요. 만약에 제가 내리지 않고 그 열차에 계속 타고 있었다면…… 제가 그 사고의 유일한 사망자가 됐을까요? 그 검은 후드 티의 남자는 아직도 저를 노리고 있을까요? 10년이 넘은 지금까지도 전 언제 어디서 검은 후드 티의 남자를 또 만나게 될지 몰라 늘 불안에 떨며 살아가고 있습니다.

4. 해 진 뒤의 골동품 시장

저는 좀 특이한 눈을 가지고 있어요. 남들 눈에 보이지 않는 것들이 저는 보이거든요. 어릴 때부터 그랬는데 신내림 받을 정도는 아니었고요. 처음에는 많이 무서워했었지만, 10년도 넘게 보다 보니 지금은 그냥 그러려니 하게 됐어요. 내가 볼 수 있다는 것만 들키지 않으면 되거든요. 그렇지만 저도 웬만 하면 피하는 곳들이 있어요. 폐건물 이런 곳은 안 보여도 무서 우니까 당연히 안 가고요. 묘지나 장례식장, 박물관 그리고 골 동품 파는 곳도 피하는 곳 중 하나입니다. 그러니까 영(靈)들 이 많이 모여 있을 법한 장소는 웬만하면 피하는 거죠. 못 본 척하는 것도 한두 번이지, 떼로 모여 있으면 그중에서 절 알아 보는 놈들이 있거든요. 특히 밤에는 절대로 안 갑니다.

제가 그냥 겁이 많은 것일 수도 있죠. 근데 당해 보지 않은 사람은 모를 거예요. 그것들을 아는 척했다가는 무슨 일을 겪게 될지 모르거든요. 그냥 짓궂은 장난으로 귀찮게 하는 정도면 다행인데, 정말 사람 피를 말리듯이 괴롭히는 것들이 있는가 하면, 제 목숨을 노리는 악귀들도 운이 나쁘면 만날 수 있으니까요. 어쨌든 오랫동안 그것들을 보다 보니 저 나름대로 살 방법을 찾게 된 거예요. 보이기만 하지 퇴치할 수 있는 능력이 있거나 신내림을 받은 건 아니니까요. 그런데…….

몇 달 전쯤에 제 의지로는 절대로 가지 않는 곳을 갈 수밖에 없는 일이 발생했습니다. 저는 작은 영상 제작 업체에서 서브 작가로 일을 하고 있어요. 그날도 촬영이 있어서 이른 아침부터 촬영 장소로 향했습니다. 서울 강북 쪽에 있는 한 스튜디오였는데, 건물 앞에 도착하자마자 제 표정은 썩어 들어갔어요. 왜냐면요, 건물 바로 앞에 대형 골동품 시장인 '○○풍물시장'이 있었거든요. 2층으로 된 엄청 큰 대형 시장인데 건물 안은 말할 것도 없고 건물 밖에도 골동품들이 막 쌓여 있었어요. 다른 촬영 스태프들은 신기하다고 밖에서 구경하고 그랬는데 저는 그쪽으로 눈길 한 번 주지 않고 열일하는 척을 했죠.

'아예, 신경을 *끄자*.'

그렇게 버텨 봤지만 네, 망했습니다. 스태프들 점심을 시장 안에 있는 2층 식당가에서 먹기로 했다는 거예요. 따로 나가서 사비로 먹을까도 고민했지만, 함께 움직이는 스태프들을 두고 막내가 따로 움직이는 게 쉽지 않은 상황이라서 따라갈 수밖에 없었습니다.

'그래 뭐…….. 대낮이고 사람도 많은데 별일 있겠어?'

다행히 정말 별일은 없었어요. 밥을 다 먹고 화장실도 다녀오고 스튜디오 건물이 너무 옛날 건물이라 화장실이 재래식 변기인 데다, 화장실 천장 구석에 검은 덩어리 같은 것도 보이는 거예요. 무언가 기분이 싸하더라고요. 그래도 일이니까. 스튜디오로 돌아가는 길에 메인 작가 언니를 따라 시장 안을 조금 구경했는데도 다행히 괜찮은 거 있죠. 대박 신기한 옛날 물건이 곳곳에 산처럼 쌓여 있는데도 규모에 비해 너무 별일이 없어서 그곳이 좋아지는 마음 반, 이래도 되나 싶은 걱정 반이었습니다.

촬영은 오후 6시쯤 마무리됐고, 그때가 늦가을 해가 짧을 때였어요. 저는 해가 지기 전에는 그곳을 뜨고 싶어서 서둘러서 제 몫의 정리를 마쳤어요. 하지만 현장이 다 정리가 되어야 모두 같이 이동할 수 있기 때문에, 카메라와 조명 스태프분들이 현장을 정리하실 때까지 기다려야 했죠. 기다리는 시간도 있고 출발하기 전에 화장실도 한 번 더 다녀오고 싶어서, 메인 작가 언니에게 이야기하고 저는 서둘러 시장 건물로 향했습니다. 그런데요. 아까 점심때와는 달리 가게 사장님들이 뭔가 분주하게 움직이시더라고요. 화장실로 향하면서 보니 다들 가게 앞에 가림막을 치면서 영업을 마감하는 분위기였어요. 6시밖에 안 됐는데 왜일까요? 뭔가 불안한 마음에 화장실을 찾아 달렸습니다.

'급한데.'

재빨리 일을 마치고 나왔는데 그 몇 분 사이에 이미 점포들은 영업을 마감하고 사람이 싹 빠져서 주변에 아무도 보이지 않았어요. 그래서 그런지 낮과는 분위기가 완전히 다른 거예요. 아까는 신기하기만 했던 골동품들이 왠지 을씨년스러워 보인다고 생각하는 바로 그때.

쟁쩨괴굉쟁쩨굉.

어디선가 들려오는 높고 날카로운 쟁과리 소리, 그걸 시작으로 풍물패 같은 국악기들 소리가 점점 크게 들리는 거예요. 저도 모르게 그 자리에 얼어 버렸어요. 왜냐고요? 사람이 다 빠진 시장 안에서 풍물패 소리가 왜 나겠어요. 어쩐지 낮에 너무 별일이 없더라니, 이제부터 시작이구나 싶었습니다.

풍물패 소리를 기점으로 갖가지 소리가 봇물 터지듯 터져 나오는데, 역시 제 예상은 빗나가지 않았어요. 눈앞이 갑자기 도떼기시장처럼 변했거든요. 다만 사람이 아닌 존재들이 우글 거렸을 뿐이죠. 그때를 생각하면 지금도 공황 장애가 몰려와요.

근처에 전시돼 있던 옛날 농기구들 앞에서 세발괭이를 휘두르는 농사꾼부터, '응답하라 1984'에 나올 것 같은 전화기의 다이얼을 돌리는 뽀글 파마 아주머니, 도자기에서 튀어나오는 호랑이, 고풍스러운 샹들리에를 그네처럼 타는 원숭이들, 전등을 켰다 껐다 하며 까르르 웃는 동자들, '대한 독립 만세!'를 외치던 일제 강점기 때 복장의 청년에게 일본도를 꺼내든 순사가 달려와 서로 싸우는 모습, 고대 화석같이 생긴 돌에서 튀어나오는 중국인, 선글라스에 라이더 재킷 차림으로 시가를 물고 구경하는 외국인까지.

그 순간 제가 가장 바란 건 뭐? 투명인간이 되는 거요. 그렇지만 그건 불가능할뿐더러 저것들의 눈을 속일 수도 없을 테니 얼른 그곳을 나가는 수밖에요. 이 정도는 뭐 크게 해롭지 않아 보일 수도 있어요. 하지만 이 넓은 곳 어디에 뭐가 있을지 모르고, 저들 또한 제가 볼 수 있다는 걸 알게 되면 어떻게 돌변할지 모르니까요.

'하, 점점 불길해지는데……'

저는 쿵쾅거리며 널뛰는 심장 소리마저 들킬세라 옷깃을 부여잡고 출구를 찾아 움직였습니다. 하지만 그 안은 미로 같아서 출구를 쉽게 찾을 수가 없는 거예요. 방황하는 눈동자에 불가피하게 담기는 모습들을 못 본 척하느라 식은땀을 흘리며 태연한 척 걷고 있는데, 이런 소리가 들려왔어요.

"쟤 사람이야?"

"사람이지?"

"뭐 땜시 여태 있는 겨?"

"신참인가?"

지나가는 길마다 저를 주시하는 수많은 시선 때문에 점점 발걸음이 빨라졌습니다. 그때.

"히익!"

사망 플래그가 이런 거죠. 저도 모르게 놀란 숨을 들이켜며 그 자리에 멈춰 서고 말았습니다. 제 팔뚝보다 두꺼운 구렁이가 왼쪽 위에서 내려와 제 눈앞에서 혀를 날름거리고 있었거든요. 눈동자만 돌려 바라보니 뱀이 내려온 곳은 뱀술이 진열된 점포였습니다.

'망할!'

바로 웅성거리는 소리가 들렸어요.

"쟤 보인다!"

"보인다고?"

"보여? 보여?"

그 말을 듣자마자 저는 냅다 달렸습니다. 그러자 뒤에서는 웅성거리는 소리도 덩어리져 함께 뒤쫓아 왔습니다.

"왜 따라오는 건데!"

진짜 망했다 싶은 생각에 주변에 뭐가 있는지 볼 겨를 없이

그냥 무조건 달렸습니다. 코너를 도는데 누군가 제 머리끄덩이를 잡아챘어요.

"아악!"

중심을 잃고 막 넘어지는데 또 다른 누군가가 그 손을 뿌리쳐 줬습니다. 돌아보니 아까 일본 순사와 싸우던 독립투사 청년이었어요. 몰려오는 존재들을 막아서며 빨리 가라고 손짓을 하더군요. 너무 고마웠지만 인사할 여유조차 없는 저는 벌떡 일어나 다시 달렸어요.

드디어 정면에 출구가 보였어요! 이제 살았구나 싶어 죽을 힘을 다해 달려갔으나, 문은 사슬로 잠겨 있었습니다.

"하씨!"

눈물이 날 것 같았지만, 그놈들이 몰려오기 전에 다른 문을 찾아야 했어요. 그때 누군가 제 팔을 잡는 거예요.

"여기 숨겨 줄게. 들어와!"

꽃이 만발한 정원이 그려진 그림 액자 속에서 귀부인 같은 여자가 상체를 내밀고 팔을 뻗어 온 거였어요. 상냥하게 웃는 모습에 잠깐 망설이는 찰나, 귀부인의 손을 찰싹 때리는 뭔가가 보였습니다. 효자손이었어요.

"요망한 것이 어딜!"

낡은 놋그릇에 몸을 반쯤 담고 있는 할머니가 불호령을 내리자, 귀부인의 얼굴이 순식간에 귀신같이 변해서 악을 쓰는 거예요.

"내 거야! 내가 잡았어!"

"어딜 산 사람을 건드리노!"

재빨리 할머니 곁에 붙었는데도 귀신 같은 귀부인은 저한테 계속 손을 뻗었어요. 빨리 그 자리에서 도망가고 싶었지만, 다시 뭉텅이로 달려오는 소리가 점점 가까워지고 있었어요. 무작정 도망쳐 봤자 열린 출구가 어딘지도 모르는 그 상황에, 정말 지푸라기라도 잡는 심정으로 할머니께 사정했습니다.

"할머니, 제발 살려 주세요! 어디로 가야 돼요?"

눈물이 터져 나온 것도 모른 채 할머니께 두 손을 싹싹 빌었어요. 할머니는 한숨을 푹 내쉬더니

"백구야, 나온나."

그 말에 할머니 놋그릇 옆에 있던 막사발에서 하얀 진돗개가 튀어나와 꼬리를 흔들며 할머니를 처다보는 거예요.

"점마, 따라가그라. 엄한 데 눈 돌리지 말고!"

"감사합니다!"

인사가 끝나자마자 어디론가 달려가는 백구를 따라 저도 죽어라 뛰었습니다. 옆에서 뭐가 부르고 지나가든 백구만 보고 뛰었죠. 앞에서 날아오는 뭔가를 입으로 잡아채 물고 흔들면서도 백구는 멈추지 않았어요. 진짜 눈물 날 정도로 고마운 거 있죠.

"헉…… 헉."

숨이 넘어갈 듯 차오를 때 눈앞에 열린 출구가 보였습니다. 저는 마지막 힘을 짜내어 문을 박차고 나갔죠. 구르듯 넘어지며 주저앉아 숨을 돌렸어요. 그리고 백구 쪽을 돌아봤는데 백구는 이미 사라지고 없었어요. 그뿐 아니라 요란하던 그것들도 모두 사라지고 시장 안은 그저 어두컴컴하고 적막했어요. 제가 꿈을 꾼 건가 싶을 정도로요.

"뭐야, 너 왜 거기 앉아 있어? 넘어졌어?"

돌아보니 메인 작가 언니였습니다. 그제야 정말 현실로 돌아온 것 같았어요. 안도하는 마음에 눈물을 쏟으며 그렇게 무사히 돌아갈 수 있었습니다. 와, 지금 생각해도 정말 꿈을 꾼 것 같네요.

재미있을 것 같나요? 그럼 해 진 뒤 골동품 시장에 직접 한 번 가 보세요. 들어갈 수 있다면요. 다만 뭔가 보인다면 절대 보이는 티는 내지 마시라고 권해 드립니다. 저는 경고했어요.

5. 러닝 크루에서 홀로

서울의 한강은 참 아름다운 곳입니다. 경치도 훌륭하고 달리기 코스도 좋고 휴식하기도 좋은 곳이죠. 하지만 사람들은 모를 겁니다. 동트기 전의 한강이 얼마나 무서운 곳인지. 30대 후반이 되도록 일만 하다가 건강이 확 나빠졌습니다. 몸이 버티지를 못하겠더라고요. 운동의 중요성을 뒤늦게 깨닫고 헬스부터 수영, 골프, 축구 등 다양한 운동을 시도해 봤습니다. 많은 운동을 해 본 결과 저한테 제일 잘 맞는 건 달리기였습니다.

한 1년쯤은 혼자 달렸습니다만, 아무리 좋아도 혼자서 뛰는 걸 꾸준히 유지한다는 게 쉽지가 않더군요. 사람들과 함께 달리면 소속감도 생기고 좋을 것 같아서 러닝 크루에 가입했습니다. 가입한 지 벌써 2년이 넘었네요. 크루 내에서 꽤 연장자고 선두 그룹이다 보니 러닝 스케줄에 제가 포함될 때면 자연스럽게 리더 역할을 맡곤 합니다. 우리 크루가 즐겨 찾는 장소는 다양한 코스가 있는 한강 공원입니다. 원래 저도 한강 코스를 좋아하는데, 저뿐 아니라 많은 사람들이 좋아하는 코스죠. 서울 어디서든 뛸 수 있어서 접근성이 좋은 곳이기도 하고요.

"슬슬 올 때가 됐는데?"

그날은 새벽 달리기를 하기로 한 날이었습니다. 새벽 4시에 출발해서 함께 15km 정도 달리다가 해돋이를 보려는 계획이었죠. 3시 반쯤 출발점에 도착한 저는 먼저 준비 운동을 하며 몸을 풀고 있었고, 곧 크루 멤버들도 하나둘 도착했습니다. 모인 인원은 총 8명. 준비 운동을 마친 우리는 4시가 되자 달리기를 시작했습니다. 출발부터 서로의 페이스를 적당히 맞춰가며 달리기로 했죠. 달리다 보니 제가 선두에 서게 됐고, 뒤에서 오는 멤버들을 간간이 독려하며 달렸습니다.

"자자, 모두 힘들 내세요!"

삼사십 분쯤 달리다 보니 선두에 있는 저와의 간격이 꽤 벌어졌던 것 같습니다. 멤버들끼리의 간격도 아마 비슷하게 벌어졌을 거예요. 처음보다 속도가 붙게 되면 흔히 벌어지는 일이기 때문에 크게 개의치는 않았습니다. 너무 멀리 떨어지지 않을 정도로만 페이스를 조절하면서 달리려고 했던 것 같습니다.

"후우…… 후우."

새벽의 한강은 고요했습니다. 드문드문 지나가는 자동차 소리 외에는 잔잔히 흐르는 물소리와 귀를 스치는 바람 소리, 그리고 달리는 우리의 숨소리뿐이었죠.

"헉헉."

그 잔잔함을 만끽하며 달리던 어느 순간, 눈앞에 자욱한 물 안개가 펼쳐졌습니다. 방금까지도 날씨가 괜찮았는데 갑자기 시야를 가릴 정도로 안개가 끼다니 이상한 일이었습니다. 그리고 소리. 강가 쪽에서 물소리가 들려오는데 뭔가 철벅거리며 물에서 나오는 듯한, 그 후 뭔가 휘익 하는 바람 소리 같은 게 들리다가 첨벙 물에 들어가는 것 같은 소리가 반복적으로 들려왔습니다.

철벅, 휘익, 첨벙, 철벅, 휘익, 첨벙.

반면 사라진 소리가 있었습니다. 바로 크루 멤버들의 소리였습니다. 저를 제외한 모든 이의 숨소리, 발소리가 사라진 겁니다. 그 모든 걸 한순간 깨달은 저는 뒤를 돌아봤습니다. 하지만 자욱한 안개가 주위를 휘감아 시야가 제대로 보이질 않았습니다. 조금 전까지 뒤따라오던 크루들의 모습도 모두 사라진 겁니다. 마치 안개 감옥에 갇힌 것 같았습니다.

"현수 형! 영은 씨! 성민아!"

멤버들을 불러 봤지만 대답도, 달려오는 사람도 없었습니다. 이쯤 되니까 뭔가 느낌이 안 좋았습니다. 불길한 느낌을 애써 떨치고 어떻게 된 일인지 당황해서 주위를 둘러보던 그때, 뒤쪽으로 20미터쯤 떨어진 곳에 어떤 여자가 보였습니다. 지금 생각하면 안개로 인해 아무것도 보이지 않는 와중에 그 여자만 보였다는 게 제일 먼저 소름 돋는 포인트지만, 당시에는 거기까지 생각하진 못했습니다. 그런데도 혼자 덩그러니 서 있는 여자의 모습을 보는 순간 저도 모르게 흠칫해서 뒷걸음질 치게 되더군요.

여자는 얼핏 핏물에 푹 젖은 원피스를 입고 있었는데, 사고를 당했나 싶더군요. 긴 머리를 늘어뜨리고 고개를 푹 숙인 채 저를 향해 있었습니다. 얼굴은 보이지 않았지만 분명히 저를 향하고 있다는 걸 느낄 수 있었습니다. 너무 이상한 일이죠. 머리털이 바짝 서는 것처럼 온몸의 털이 쫙 서는 느낌을 그때 처음 느껴 봤습니다.

'뭐야, 저 여자는?'

여자의 모습이 소름 끼치는데도 시선을 뗄 수가 없었습니다. 나를 의식하고 있는 듯한 저 여자가 어떻게 나올지 알 수 없었기 때문입니다. 여자에게 시선을 고정하고 옆으로, 그러니까 달리던 코스 방향으로 천천히 이동했습니다. 그런데 역시나 저를 주시하고 있다는 걸 알리듯이, 제가 이동하는 만큼

정면이 저를 향하도록 천천히 여자의 몸이 돌아가고 있었습니다. 고개는 여전히 푹 숙이고 있는데 말입니다. 더 이상 여자를 주시할 수도, 그 자리에 있을 수도 없었습니다. 그저 도망쳐야 한다는 생각뿐이었어요. 저는 있는 힘을 다해 달리기 시작했습니다. 그때!

제가 뛰기 시작하자마자 여자도 휘익- 제 쪽으로 달려오는데 아니, 달려오는 건지 날아오는 건지 모르게 다가오는 게, 이건 사람의 속도가 아니었습니다. 정말 눈 깜짝할 사이에 코앞까지 닥쳐온 그 속도에, 저는 생각할 겨를도 없이 반사적으로 여자를 피했습니다. 그랬더니 여자는 그대로 한강 쪽으로 돌진하더니 첨벙 소리와 함께 강에 빠지고 말았습니다. 대체 무슨 일이 벌어진 건지 파악조차 되지 않더군요. 식겁한 상태로 멤버들이 오지 않는지 빠르게 주변을 둘러봤지만, 벽처럼 저를 에워싼 안개뿐이었습니다.

'헉헉…… 설마 강에 빠진 건가?'

식은땀이 줄줄 흐르는 지경이었고 여자의 정체도 모르는 상황이었지만, 그래도 강에 빠진 사람을 모른 척할 수는 없었습니다. 여자가 빠진 쪽으로 다가가려는 순간, 철벅철벅 물에서 나와 걷는 소리가 들렸습니다.

'다치지는 않았나 보네. 그나마 다행이다.'

안도하는 그때 다시 휘익- 소리가 들렸고, 두리번거리던 저

는 그대로 얼어붙고 말았습니다. 제가 서 있는 곳에서 더 가까워진 15미터쯤 떨어진 공터에 또다시, 그 여자가 아까의 모습 그대로 서 있었기 때문입니다.

'아까부터 계속 들리던 소리가 그럼…… 저 여자?'

철벅, 휘익, 첨벙, 철벅, 휘익, 첨벙.

저는 계속 달리고 있었는데, 달리는 동안 몇 번이나 저 소리를 들었다는 건 제 주변을 맴돌면서 강으로 뛰어드는 걸 반복하고 있었다는 것 아닙니까!

온몸이 싸늘하게 식어 가는데, 또다시 여자가 저에게 돌진했습니다. 이번엔 저도 망설일 틈 없이 죽어라 도망쳤습니다. 정말 아슬아슬하게 제 뒤로 휘익- 바람이 일더니 곧 첨벙 소리가 이어졌습니다. 그리고 잠시 후 다시.

철벅, 휘익.

정말 제 귀를 틀어막고 싶었습니다. 여자는 진짜로 저를 노리고 있었던 겁니다. 이제 여자는 제가 막 지나가고 있는 벤치 쪽에서도, 다리를 지나가면 다리 밑에서도 나타났습니다. 러닝 페이스고 뭐고 저는 죽을힘을 다해 달렸습니다. 생전 이렇게 빨리 달려 본 적이 없을 정도로 말이죠. 하지만 반복되는 소리는 점차 빨라졌고, 급기야 저를 향해 돌진한 여자와 몸을 부딪히고 말았습니다.

"허억!"

정신을 차려 보니 저는 뒷덜미가 붙잡힌 채 강가로 질질 끌려가고 있었습니다. 그때 처음으로 여자의 얼굴을 보게 되었는데, 마치 익사체처럼 얼굴이 검게 변해 있었고 양쪽 눈알은 짐승의 눈처럼 붉은색이었습니다. 거기에 더해 날카로운 이빨까지 그 상태로 신난다는 듯이 입을 찢어 웃으며 저를 끌고 가는 것이었습니다.

"살려 줘! 얘들아! 살려 주세요!"

있는 힘껏 저항했지만 여자의 힘이 너무 세 속수무책으로 끌려갈 수밖에 없었습니다. 물소리가 점점 가까워졌고 저는 정말 필사적으로 발버둥을 치다가 윗옷을 벗어 버리려고 했습니다. 하지만 마음이 급해서인지 벗어날 수가 없더군요. 결국, 여자의 힘을 당해 내지 못해 강가로 끌려가 무릎까지 물에 잠기는 순간,

"살려 줘! 잘못했어! 내가 잘못했다고!"

저는 저도 모르게 잘못했다고 울부짖으며 상의를 겨우 벗어 냈고, 그 여자의 손아귀에서 빠져나올 수 있었던 것 같습니다. 그제야 멤버들의 다급한 목소리가 들리기 시작했으니까요.

"정우야!"

"정우 형!"

멤버들은 곧장 저에게 달려왔고, 저는 방금 끌려 들어갈 뻔

한 강 쪽을 쳐다봤습니다. 뭔가가 강 한가운데로 스르륵 사라지는 듯한 물보라를 봤기 때문입니다. 어느새 물안개는 거짓말처럼 사라져 있었습니다. 멤버들의 걱정 어린 목소리에도 강은 무슨 일이 있었냐는 듯 잔잔히 흐르고 있었습니다.

나중에 멤버들에게 들으니, 앞에서 달리던 제가 갑자기 제자리에 멈추더니 급속도로 치고 나가듯 달리더랍니다. 몇 번 불러도 못 들은 척 뛰어가기에 멤버들은 페이스를 약간 올려서 쫓아왔는데, 따라잡을 수 없을 정도로 제가 점점 멀어지더니 어느 순간 강 쪽으로 돌진하듯이 달려갔다는 겁니다. 여자나 안개는 전혀 보지 못했다고 합니다. 정말 제가 뭐에 홀렸었나 봅니다. 왜 하필 저였을까요? 정말 가끔 나타난다는 물귀신이었을까요? 벌써 4~5년쯤 전의 일인데, 아직도 저는 이유를 모릅니다.

다만 오랫동안 생각해 본 끝에 짐작해 보자면, 제가 한강 달리기를 할 때, 혼자 가만히 앉아 있는 여자분을 종종 본 적이 있는 것 같습니다. 달리면서 흘깃 본 거라 자세히는 모르지만 왠지 우울한 분위기였던 것 같아요. 나중에 떠올려 보니 자살을 생각하던 사람이 아니었을까 하는 생각까지 들더군요. 같은 여자분인지는 모르겠습니다만, 제게 잘못이 있다면 그런 분을 무심하게 그냥 지나쳤던 것 외에는 딱히 떠오르는 건 없네요. 만약 그때 그분이었다면, 정말 몇 날 며칠 자살을 고민했던 분이라면, 그저 누군가의 관심이나 따뜻한 말 한마디가 필요했던 게 아닐까요. 그때 제가 한 번이라도 무심히 지나치지 않았다면 그 여자가 저를 노리는 일이 없었을까요?

아무리 생각해도 답은 없지만 지금이라도 이 말을 하고 싶네요. 당신을 그렇게 만든 누군가를 대신해서 제가 사과할 테니 이제 강에는 그만 들어가시라고, 차가운 한강에서 벗어나 더 좋은 곳으로 가시라고 전하고 싶습니다.

학교 괴담

6. 사이버 감옥

 이번 이야기는 내가 미스터리를 취재하던 도중, SNS상의 DM으로 믿을 수 없는 제보를 받고 난 후부터 시작된 현재 진행형 이야기이다. 제보자는 고등학교 2학년이라고 자신을 소개하며 직접 겪은 이야기를 설명하기 시작했는데, 모바일이나 SNS상에서 자기를 괴롭히는 '존재'가 있다는 것이었다. 내용을 읽다 보니 일반적인 괴롭힘 이야기가 아니었다. 나는 그 제보자를 만나기 위해 지방의 한 병원으로 취재를 나갔다. 아래는 그 학생이 인터뷰에 응한 대화 내용이다.

 "안녕하세요. 저는 ○○여고 2학년 김다연입니다. 별로 반응이 없으시네. 제 이름 못 들어보셨어요? 음⋯⋯. 이 지역은 잘 모르시나 봐요? 저 여기서 되게 유명한데. 이 주변 남학교에서 저 모르는 애 없을걸요."

Q. 뭐로 유명한가요?

"보면 모르세요? 예뻐서죠, 당연히. 보는 눈이 없으시구나! SNS에서도 존예 댓글 겁나 많이 받거든요! 제 얼굴이 증거잖아요. 작가님은 잘 모르시겠지만, 제 추종자가 좀 많아요. 알지도 못하는 남자애들한테서 DM이 하루에도 수십 개씩 오거든요. 보여 드려요?"

(실제로 다연이의 핸드폰 알림은 몇 분에 한 번씩 계속 울려 댔다. 단체 메신저 방의 알림을 켜 둔 것으로 착각할 정도였다. 이상한 점은 알림이 울릴 때마다 너무나 공포스러운 소리를 들은 것처럼 경기를 일으키듯 놀라는 것이었다.)

Q. 근데 왜 표정이 안 좋은가요?

(다연이는 잠시 머뭇거리다가 마치 연기하듯이 표정을 바꾸고 대답했다.)

"뭐, 이제는 좀 식상하기도 하고 귀찮기도 하고 당연한 얘기를 자꾸 듣다 보면 좀 짜증 나는 거 있잖아요."

Q. 알림을 무음으로 하면 되잖아요.

"그러면 되는 거 누가 몰라요? 알죠, 아는데."

Q. 알림 울릴 때마다 깜짝깜짝 놀라면서도 안 끄는 이유가 있나요?

"제가…… 그랬나요?"

(다연이는 그런 자신을 전혀 몰랐는지 살짝 충격을 받은 것 같았다. 그러고는 침묵했다. 잠시 후 다연이는 뭔가 결심한 것처럼, 자신의 현재 상황을 털어놓기 시작했다. 마치 비밀 얘기를 하듯이.)

"사실은요, 무음으로 설정이 안 되는 게 있어요. 아니, 정확하게 말하면 무음 설정이 안 되는 상대가 있어요. 저도 이렇게 저렇게 열라 많이 시도해 봤거든요. 하, 근데 이상하게 걔 아이디만은 깨톡도 DM도 무음 설정이 안 돼요. 어이없어 진짜."

"더 소름인 건 뭔지 아세요? 걔는 저한테 연락을 할 수가 없는 애거든요. 분명히 누군가 다른 사람이 걔를 사칭해서 저를 괴롭히는 거라고요."

Q. 왜 연락을 할 수가 없나요?

"…… 걔는 죽었으니까요."

Q. 죽은 사람이 연락을 한다고요? 어떤 아이였죠? 친한 친구였나요?

"친구 아니에요! 내가 걔랑 왜 친해요. 있는지 없는지 존재감도 없고 흐리멍덩하게 생긴 애랑."

Q. 근데 왜 다연 학생을 괴롭힐까요?

"모르죠! 괴롭힐 사람은 따로 있는데 왜 나한테 그러는 거야! 진짜 미치겠어요!"

Q. 괴롭힐 사람이 따로 있다고요? 그게 누구인가요?

"그야 그 애를 직접 괴롭힌 애들이죠. 있어요, 4인방."

Q. 4인방이 누구인가요? 설마 다연 학생도 그 무리 중에 한 명인가요?

"전 아니에요. 우리 학교에 좀 노는 애들이에요. 그런 애들 있잖아요. 좀 극성인 친구들요."

(다연이는 이 시점부터 내 눈을 피하기 시작했다. 분명 무언가 숨기는 것이 있었다.)

Q. 다연 학생은 죽은 아이에게 아무것도 안 했나요?

"저요? 절 의심하는 거예요? 저는 그냥 말만 했을 뿐이에 요!"

Q. 다연 학생은 뭐라고 했나요? 4인방이 그 학생을 괴롭힌 이유는 뭐죠?

"전 그냥…… 생긴 게 기분 나쁘다고, 보기 싫다고 했는데 요. 그런 말은 할 수 있잖아요. 저는 그 말만 했는데 그때부터 4인방이 알아서 걔를 조지기 시작한 거예요. 4인방이 이런저 런 자질구레한 걸 시킬 때 항상 깨톡으로 지시했는데 민주가 어느 순간부터 핸드폰을 꺼 놨대요. 그래서 4인방이 직접 찾 아가서 손 좀 봐 주고, 그런 일 많잖아요. 근데 지가 못 견뎌서 죽어 놓고 왜 나한테 그래? 복수하는 거야 뭐야!"

Q. 복수? 왜 그렇게 생각하나요?

"누군가가 죽은 애 아이디랑 이름으로 걔가 당한 걸 똑같이 저한테 하고 있으니까요. 깨톡 감옥이요. 걔가 당한 원인이 저라고 생각하나 본데, 어이없어 진짜."

Q. 깨톡 감옥이 뭔가요?

"이런 거요. 걔 이름으로 저한테 보낸 거 보여 드릴게요. 어이없는 소리 많이 보냈는데 제가 깨톡방에서 나가서 다 없어졌어요. 근데 저를 또 초대해서 이렇게 보낸 거예요."

김 　김민주

다연아 어딜 도망가.
　　　　　　　　　　　　　오후 04:00

　　　　　　　왜 자꾸 초대하는 거야 이 미친X아!
　　　　오후 04:00

김 　김민주

너 같은 건 죽어야지.

살 가치도 없는 게 왜 아직 살아 있지?
　　　　　　　　　　　　　오후 04:01

　　　　　　　너 누군데!!! 나한테 왜 이래?
　　　　오후 04:03

김 　김민주

네가 나 죽였잖아. 넌 내가 죽여 줄게.
　　　　　　　　　　　　　오후 04:04

"진짜 미친 정신병자 아니에요? 쟤는 분명히 죽었거든요. 근데 죽은 애 이름으로 저를 깨톡방에 초대해서 계속 이렇게 협박하고 욕하고 막 그러잖아요. 짜증 나서 방을 나가면 다시 초대하고, 나가면 초대하고. 계속 반복이에요."

Q. 그래서 깨톡 감옥이군요.

"더 미치겠는 건 아까도 말했지만 알림이 안 꺼진다는 거예요. 알림 울릴 때마다 제가 놀랐댔잖아요. 맞아요, 스트레스 오져요. 진짜 피 말려 죽이겠다는 거지, 이거는!"

Q. 진짜 죽은 학생이 보내는 건 아닐까요? 귀신의 소행일 수도.

"귀신이요? 그럼 진짜로 죽은 애가 그러는 거라고요? 하, 웃기지 마세요. 귀신이면 차라리 눈앞에 나타나지, 왜 이러는 건데요? 깨톡으로 이러질 않나, 얼마 전에는 제 신상을 털어서 SNS에 올리더라고요. 그 미친 정신병자가 하, 그래서 그런지 이상한 DM이 수백 개나 오고 진짜 큰일 날 뻔했다고요! 그런다고 내가 저처럼 당할 줄 아나. 우리 아빠가 누군지 알고, 그놈들 다 잡아 처넣을 거예요."

Q. 설마 그 학생도 그렇게 당했나요? 신상을 털어서?

"내가 어떻게 알아요. 4인방이 개 팔아서 어디다 글 올리는 건 봤는데, 설마 당했겠어요?"

Q. 다연 학생도 당할 뻔했다고 했잖아요.

"······그래서 뭐 어쩌라고요, 전 안 당했잖아요. 당한 게 병신이지."

Q. 죽은 학생이 당한 게 또 뭐가 있나요?

"그건 왜요?"

Q. 당한 대로 똑같이 다연 학생한테 계속할지도 모르니까요. 생각해 보는 게 좋지 않을까요?

"근데 걔 주변에는 제가 뭘 했는지 아는 사람이 없을 텐데? 아무리 걔라도 제가 뭘 했는지 모를 거라고요. 근데 누가 복수를 해요."

Q. 그 학생 모르게 뭔가 한 게 있나 보죠?

(다연이는 말문이 막힌 듯이 입을 다물었다. 곧 뭔가 골똘히 생각하는 것 같더니, 퍼뜩 뭔가 떠올랐는지 불안한 기색이 역력한 얼굴로 질문을 퍼붓기 시작했다.)

"진짜 죽은 걔일까요? 그럼 제 SNS에 제가 자기를 죽였다고 헛소리 댓글 다는 것도, 학교에 일진이라고 헛소문 퍼트려서 왕따 만들려고 하는 것도 다 당한 만큼 갚겠다는 거예요? 진짜 귀신이······ 그럴 수가 있는 거예요? 그러면······."

Q. 방금 말한 것도 다연 학생이 그 애한테 한 일인가요?

"그게 중요해요? 저기요, 진짜 귀신이면······ 그럼 저 어떻게 해야 돼요? 저 지금 다리 부러져서 병원에 있는 것도 학교에서 계단 내려가는데 누가 밀쳐서 구른 거예요. 근데 수업 시

간이라서 주변에 아무도 없었거든요? 경찰에서도 CCTV 확인해 봤는데 제가 혼자 넘어진 거래요. 저 진짜 억울했는데, 그럼 그것도? 저 진짜 무서운 게요. 요즘 계속 자다가 눈떠 보면 병원 옥상에 서 있어요. 처음에는 옥상 문 앞에서 깨어났는데요. 점점 안으로 들어가요. 며칠 전에는 옥상 한가운데서 깼는데 어제는 눈떠 보니까 난간에 서 있었어요! 저 진짜 떨어져 죽는 줄 알았거든요! 근데 저는 옥상에 간 기억이 없다고요. 분명히 자고 있었단 말이에요. 그것도 걔가 그러는 걸까요? 진짜 저를 죽이려는 걸까요? 저 어떡해요? 저 좀 살려 주세요!"

(말하다 보니 점점 흥분하는 듯하던 다연이는 지푸라기 붙잡듯 나를 붙잡고 빌다가, 급기야 허공에 대고 소리치기 시작했다.)

"네가 알아서 죽은 거잖아! 왜 나한테 그래? 다른 애들도 괴롭혔는데 왜 나한테 그러는 거냐고!"

"저, 벌 받는 거 맞죠? 저도 그 애처럼 죽게 되는 걸까요? 미안하다고 말하면 용서해 줄까요?"

Q. 진심인가요?

"됐고, 제발 제 핸드폰 알림 좀 꺼 주세요. 진짜 미치겠어요."

(귀를 틀어막고 침대에 드러누운 다연이 대신 핸드폰을 확인해 봤다. 그런데.)

Q. 다연 학생 핸드폰은 지금 꺼져 있어요. 아까 꺼지지 않

왔나요?

"네? 무슨 소리예요, 지금도 알림이 계속 울리는데!"

Q. 전원이 아예 꺼져 있어요. (핸드폰을 넘겨줬다.)

"그러네……. 하하하……. 그럼 이제 절 찾아오겠네요."

Q. 그게 무슨 소리예요? 그럼 전에 그 학생이 핸드폰을 꺼 놨을 때 다연 학생이 찾아갔었다는 말인가요?

"하던 대로 똑같이 하더라고요. 죽이든 괴롭히든 직접 찾아 올 거예요. 네, 제가 그랬듯이요. 감히 핸드폰을 꺼 놨으니까."

난 그때서야 깨닫게 되었다. 민주를 죽음으로 이르게 한 사람들 그건 4인방이 아닌 5인방이었다. 리더 다연이를 포함한 5인방. 그리고 이 미스터리한 저주는 5인방이 대가를 치르게 될 때까지 계속되리라는 것을.

7. 거꾸로 매달린 아이

어릴 때의 저는 조금 특이한 아이였습니다. 철봉에 거꾸로 매달려 있는 걸 참 좋아했거든요. 30대 후반이 된 지금과는 달리, 어릴 때는 좀 소심한 성격이어서 그랬는지 또래들과 잘 어울리지 못했습니다. 학교가 끝나면 아이들은 친구들끼리 어울려 놀았는데, 저는 아이들과 노는 대신, 학교 놀이터 철봉에 거꾸로 매달려 있기를 좋아했습니다. 그때의 저에게는 그렇게 거꾸로 된 세상을 구경하는 게 제가 할 수 있는 것 중 가장 재미있는 일이었나 봅니다.

그랬던 제가 다시는 학교 철봉에 거꾸로 매달리지 못하게 된 사건이 있었습니다. 제가 8살, 초등학교 1학년 때의 일일 거예요. 너무 어릴 적이라 사실 저는 그 일을 자세히 기억하지는 못하는데요. 몇 년 전 가족 모임에서 어릴 적 이야기를 하다가 '그때'의 일이 기억 나냐며 어른들이 얘기를 꺼냈고 결국 어머니가 말씀해 주셔서 알게 됐습니다. 그날 들은 이야기와 저에게 남은 흐릿한 기억 조각들을 토대로 제가 어릴 적 겪었던 일에 대해 들려드릴게요.

저는 유년 시절을 전라도에서 보냈습니다. 아마 초등학교에 들어간 지 얼마 안 됐을 때의 일일 겁니다. 그날도 친구들과 잘 어울리지 못하고 방과 후 학교 놀이터 철봉에 거꾸로 매달려 다른 친구들이 노는 걸 구경하고 있었던 걸로 기억합니다. 당시의 저는 늘 무표정하거나 시무룩한 표정이었는데, 어느 날부터인가 제가 웃으면서 집에 들어오더라는 겁니다. 며칠을 그렇게 밝은 모습으로 들어오자 어머니는 기분이 좋으면서도 궁금해서 저에게 물으셨답니다.

"우리 우현이, 요즘 기분이 좋은가 보네?"

"응!"

"무슨 좋은 일 있어? 엄마도 알려 주면 기분 좋을 것 같은데."

"친구 생겼어."

"친구?"

저에게 친구가 별로 없는 걸 어머니도 아셨던지라 늘 걱정이 많으셨는데, 친구가 생겼다고 하니 너무 좋아하셨다고 합니다.

"어떤 친구인데? 같은 반이야?"

"아니."

"그럼?"

"나처럼 거꾸로 매달리는 거 좋아하는 친구."

"어머 그래? 잘됐네. 그럼 학교에서 둘이 같이 매달려 노는 거야?"

"응! 내가 거꾸로 매달려 있을 때 걔만 똑바로 보여."

"호호호, 그렇겠네. 친구 이름이 뭐야?"

"음……. 몰라."

"친구 이름도 모르면 어떡해."

"내일 물어볼게."

"그래, 매달리는 건 좋은데 다치지 않게 조심해. 너무 오래 매달려 있지 말고, 알았지?"

어머니는 기분이 좋으셨는지, 맛있는 걸 해 줄 테니 언제든지 친구를 집에 데려와서 놀라고 하셨습니다. 저도 굉장히 좋아했다고 합니다. 그런데 며칠이 지나도 제가 친구를 집에 데려오는 일은 없었다고 합니다. 오히려 집에 점점 늦게 들어오는 날이 많아졌고, 늦게 들어올수록 안색이 안 좋은 데다 힘없이 어지러워하는 날이 늘었답니다.

"우현아, 너 요즘 왜 그래, 어디 아파? 아프면 엄마한테 얘기해."

"…… 어지러워."

"또? 오늘도 무덕이랑 거꾸로 매달렸어?"

"응."

"너, 너무 오래 매달려 있는 거 아니야? 무덕이도 너처럼 어지럽대?"

"아니. 걔는 하나도 안 어지럽나 봐. 맨날 거꾸로 있어. 맨날 내가 져."

"설마 누가 오래 거꾸로 있나 둘이 시합하니? 그러면 안 돼! 거꾸로 오래 있으면 아파. 큰일 나."

"아파? 그래서 그런가? 무덕이는 맨날 아프대. 근데 아파서 거꾸로 있는 거라던데?"

"응? 그게 무슨 소리야?"

어머니는 더 이상 저에게서 무덕이에 대한 정보를 알아내지 못했습니다. 제가 아는 게 거기까지였으니까요. 어머니의 걱정에도 불구하고 저는 저녁밥 먹을 시간이 다 되도록 늦게 들어오는 날이 많았고, 저의 말수는 다시금 점점 줄었다고 합니다. 게다가 언젠가부터는 제 손과 팔에 손톱으로 긁힌 듯한 상처들이 하나둘 생겨났다고 합니다. 무릎 뒤 오금에는 멍도 들고요.

"너 이거 왜 이래? 무덕이랑 싸웠어?"

"아니······."

"그럼 상처 왜 났어, 누가 너 괴롭혔어?"

"아니, 그게 아니라······."

조금씩 털어놓는 제 말에 어머니는 무덕이가 어딘가 정상적인 아이가 아니라는 느낌을 받으셨다고 합니다. 제 팔의 상처는, 무덕이와 거꾸로 매달려 있다가 제가 내려가려고 하면 가지 말라고 무덕이가 저를 붙잡으려 하면서 내는 상처였기 때문입니다. 어머니는 저에게 앞으로 무덕이랑 놀지 말라고 하고 싶었지만, 하나밖에 없는 친구를 떼어내면 어린 저에게 상처가 될까 봐 차마 그 말은 하지 못했다고 하시더군요.

"그러지 말고 무덕이랑 같이 놀러 오라니까? 엄마가 맛있는 거 해 준다! 그래."

"말했는데······. 가고 싶어도 못 간대."

"왜? 무덕이 엄마가 못 가게 한대?"

"아니, 그냥 아무 데도 못 간대. 그래서 맨날 나 못 가게 붙잡아."

"그렇다고 친구를 이렇게 상처 내면 안 되지. 그럼 무덕이네 집에 가서 놀자고 해."

"걔는 집에도 못 간대."

"응? 집에 왜 못 가? 그럼 어디 있어?"

"맨날 거기 있어."

"학교에? 철봉 있는 데에?"

"응. 철봉 있는 데 나무에."

그 말을 들었을 때 어머니는 뭔가 심장이 철렁하는 느낌이 들어 제게 다시 물었답니다.

"우현아, 무덕이가 거꾸로 매달려 있는 데가 철봉이야, 나무야?"

"나무."

그때부터 어머니는 목소리가 떨려 주체할 수가 없었다고 합니다.

"너 말고 다른 애가 무덕이 본 적 있어?"

"몰라."

"그럼 혹시 거꾸로 말고 바닥에 내려와서 무덕이랑 논 적 있어?"

"아니."

제 대답을 듣자마자 어머니는 사색이 되어 저를 끌어안고는 몸이 떨려 한참을 움직이지 못했다고 합니다. 제가 또 어지럽다고 하자, 어머니는 저를 방에 데려가 눕히고는 어디론가 급히 전화를 하셨던 것 같습니다. 다음 날 방과 후, 저는 평소와 마찬가지로 철봉에 거꾸로 매달려 있었는데 뭔가 기억이 흐릿한 것이 약간 정신을 잃고 있었던 게 아닌가 싶습니다. 그리고 이런 말을 얼핏 들은 것 같은 기억이 납니다.

"가지 마. 나랑 있어."

그리고 누군가가 제 몸을 강하게 잡아당겼던 것 같아요. 그러다 어느 순간 정신이 번쩍 들었습니다. 어머니가 저를 부르는 목소리가 들렸기 때문입니다.

"우현아!"

저를 발견한 어머니가 다급히 달려오는 게 보였습니다. 거꾸로 보기에도 어머니의 표정은 경악 그 자체였습니다. 왜냐하면 제가 철봉에 거꾸로 매달린 채, 팔과 머리가 철봉 앞 커다란 나무쪽으로 기울어져 있었다는 겁니다. 마치 나무에서 뭔가가 저를 잡아당기듯이요. 하지만 어머니 눈에는 아무것도 보이지 않았다고 합니다. 어머니는 황급히 저를 끌어안고 철봉에서 내렸습니다. 그러나 다리만 내렸을 뿐, 제 팔은 뭔가에 얽매인 것처럼 나무를 향해 있었습니다.

"무덕아, 안 돼! 우리 우현이는 안 돼!"

어머니가 무덕이의 이름을 부르며 울부짖자, 저를 잡고 있던 힘이 잠시 멈칫하더니 더 강한 힘으로 저를 끌어당겼고 급기야 어머니까지 끌려갈 판이었습니다.

"신녀님!"

어머니가 누군가를 부르는데 어머니 뒤를 따라오던 한복을 입은 어떤 할머니가 다가와 부적에 불을 붙여 나무쪽으로 날리는 것이었습니다. 그러자 공중에 떠 있던 제 팔이 마치 끈 떨어진 것처럼 뚝 떨어졌고, 그 반동으로 저를 안고 있던 어머니와 함께 땅바닥에 패대기쳐졌습니다. 그 할머니는 그 지역에서 용하기로 소문이 자자한 무당이었다고 합니다. 나무를 둘러보던 무당은 혀를 차며 이렇게 말했습니다.

"아이고야, 주렁주렁 많이도 달렸다. 이거 덕달이 나무고만. 뭐더러 학교 터에 이런 걸 남겨 놔 가지고……. 쯧쯧."

"덕달이…… 나무요?"

"수상장(樹上葬) 하던 나무 말이야. 옛날에 아이가 죽으면 그 시신을 짚으로 싸 가지고 나무에 매달아 놓는 풍습을 가진 마을이 있다 하더마는, 여가 거긴가 보네."

어머니가 할 말을 잃은 채 저를 안고 멍하니 있는데, 무당이 나무쪽을 다시 보더니 기가 막힌다는 듯 언성을 높였습니다.

"아니, 애를 매달려면 똑바로나 매달 것이지, 어떤 놈이 애를 거꾸로 매달아 놓은겨!"

나무에 매달린 아이들 중 유독 거꾸로 매달린 아이가 딱 하나 있는데 그게 무덕이였나 봅니다. 그때 갑자기 나무가 울리는 듯한 울음소리 같은 게 들렸습니다.

"우워어어!"

어머니의 귀에도 들렸나 봅니다. 어머니는 저를 끌어안은 채 벼락을 맞은 것처럼 벌떡 일어나 무당의 뒤로 달려가 외쳤습니다.

"저 나무 좀, 저 빌어먹을 나무 좀 어떻게 해 주세요! 네?"

그러나 무당은 안타깝다는 듯 한숨을 푹 내쉬더니 어머니를 진정시키며 이렇게 말했답니다. 외로워서 그랬다고. 죽어서 좋은 곳으로 가지도 못하고 거꾸로 매달린 채 지박령(地縛靈)이 되어 어떻게 흐르는지도 모르는 세월을 보내다가, 거꾸로 된 그 시선을 맞출 수 있는 저를 만났으니 얼마나 반가웠겠냐고. 이제 좋은 곳으로 보내 줄 테니 외로운 아이 너무 원망하지 말라고 무당은 어머니를 타일렀습니다. 다시는 무덕이 때문에 내가 위험해지지 않을 거라는 무당의 약속을 받아낸 어머니는 다시는 철봉에 거꾸로 매달리지 말라며 저의 약속도 받아 냈습니다. 그리고 얼마 후, 학교의 허가를 받았는지 그 나무 밑에서 동네가 떠들썩하도록 커다란 굿판이 열렸습니다. 나무에 매달려 있는 아이들을 좋은 곳으로 보내 주는 천도제였다고 합니다.

그 이후로 딱 한 번, 어머니 몰래 철봉에 매달린 적이 있었지만 무덕이는 볼 수 없었습니다. 그리고 어째선지 그날 이후로 저에게 친구가 하나둘씩 생긴 것 같습니다. 이유는 잘 모르겠습니다. 제가 외로울까 봐 좋은 곳으로 간 무덕이가 친구를 보내 준 것일지도 모르죠. 홀로 남겨진 아이가 느끼는 사무치는 외로움을 무덕이는 겪어 봤을 테니까요.

8. 연습실에서

생각해 보면 귀신들 중에는 예술을 좋아하는 귀신이 꽤 많은가 봐요. 이유는 모르겠지만 딱히 귀신이 나올 만한 장소는 아닌데도 불구하고 학교 음악실이나 미술실, 연극 연습실 같은 곳에서 귀신을 봤다는 이야기가 종종 있더라고요.

오래전에 저도 대학교 연습실에서 귀신을 본 적이 있어요. 귀신을 본 건 그때가 처음이고 그 이후로도 본 적은 없는데요. 태어나서 그렇게 무서웠던 적은 처음이었던 것 같아요. 그렇지만 지금은 '그때 끝까지 가 볼 걸.' 하는 생각도 가끔 드는 그런 일이 있었답니다.

벌써 15년도 넘은 일이네요. 제가 나온 대학교는 경기도에 있는 한 예술 대학인데요. 저는 실용음악과였고 그 안에서도 기타 전공이었어요. 실용음악과 학생에게 연습실은 필수인 만큼 학교에는 저희 과 학생들 위주로 쓰는 연습실 전용 건물이 있었는데요. 그리 크지 않은 5층짜리 건물이었는데, 3층부터 5층까지가 연습실 방으로 만들어져 있었어요. 산을 깎아 만든 학교라서 캠퍼스 자체도 산 중턱에 있었고, 연습실 건물 뒤는 바로 산이었어요. 학교 자체가 당시에 생긴 지 몇 년 안 돼서 연습실 건물도 지은 지 얼마 안 된 새 건물이었고요.

층의 구조를 말씀드리면, 건물 끝에 있는 가장 큰 방이 밴드가 다 들어갈 수 있는 합주실이었고요. 합주실 문을 나오면 계단 있는 곳까지 쭉 복도가 보이고, 복도 좌우 양쪽으로 작은 연습실 방들이 있었는데, 정확히 기억은 안 나지만 좌우 각 라인에 3~4개씩인가 있었어요. 합주실을 뺀 나머지 방은 한 평도 채 안 되는 크기였지만, 안에는 학생들이 연습할 수 있도록 피아노와 작은 앰프가 한 대씩 있었고, 문에는 사람 눈높이 정도에 작은 창문이 있어서 안에 누가 있는지 쉽게 확인할 수 있었어요. 그리고 모든 방에는 방음벽이 설치돼 있었지만 당연히 완벽한 방음은 아니었어요. 원체 연습할 때 내는 기본 사운드가 크니까요. 어쨌든 그 연습실 공간에서는 파트별 전공 수업을 하기도 하고 수업이 없을 때는 학생들이 자유롭게 연습도 할 수 있었어요.

문제의 그날, 저는 연습실에서 밤을 보낼 작정을 하고 수업 후에 방 하나를 맡아 놨어요. 과에서 하는 공연 팀에 처음으로 합류를 하게 돼서, 합주 전에 개인 파트 연습을 하고 싶었거든요. 몇 층이었는지는 잘 기억나지 않지만 합주실과 붙어 있는 방이었어요. 맡아 놓은 방에 기타를 놔두고 친구들과 학교 식당에서 저녁을 먹고는 매점에서 간식거리까지 챙긴 다음 혼자 느긋하게 연습실로 올라왔어요. 방들을 쭉 훑어 보니 연습을 마치고 나가려는 사람이 몇몇 있을 뿐, 저처럼 야간 연습을 하는 사람은 없는 것 같았어요. 곧바로 제가 맡은 방으로 들어가서는 구석에 드러누워 음악을 들으며 연습곡을 먼저 골랐어요. 왜 그런 거 있잖아요. 내가 연습하는 모습을 남들에게 보여 주고 싶지 않은 거. 그렇게 그 층에 사람들이 빠지길 기다렸어요.

　'빨리 좀 가라!'

　연습실에 사람이 모두 빠지고 조용해졌을 무렵, 저는 슬슬 기타 장비를 풀기 시작했어요. 이미 해는 져서 바깥이 완전히 깜깜해졌더라고요. 그런데 밤의 연습실은 낮과는 너무 다른 분위기였어요. 산 밑의 건물이라 그런지 밤이 되니까 왠지 더 스산한 느낌이 드는 거예요. 산안개가 끼면서 공기도 차갑고 축축한 느낌마저 들었고요. 신입생 때여서 연습실의 밤 분위기를 잘 몰랐던 거죠. 하지만 이미 셔틀버스는 끊겼고 터미널까지 가는 버스도 언제 올지 모르는 상황이라 집에 갈 수도 없었어요.

'연습하다 보면 괜찮아지겠지.'

저는 꺼림칙한 기분을 빨리 털어 내기 위해 서둘러 기타를 튜닝한 후, 한쪽 이어폰으로 공연할 곡을 들으며 제 파트를 따기 시작했어요. 30~40분 정도 연습했을까? 어디선가 피아노 소리가 들리는 거예요. 옆 라인 방 중의 한 곳에서 나는 소리 같았어요.

"이 시간에 누구지?"

기숙사에 있는 사람이 연습하러 올 수도 있겠구나 싶어서 가만히 들어 보는데…… 연주를 너무 잘하는 거예요. 재즈곡인지 즉흥곡인지 몰라도 로우 템포에 서정적인 곡이었는데 아름다우면서도 어딘가 쓸쓸한 느낌의 코드 진행이 굉장히 인상 깊었어요. 어스름한 달밤에 굉장히 잘 어울리는 곡이랄까요. 이 정도 실력이면 동기는 아니고 선배님이겠다 싶더라고요. 가서 누군지 확인도 할 겸 인사를 할까도 생각했지만 그러면 곡이 끊길까 봐 저는 다른 접근법을 생각해 냈어요.

"호, 제법인데…… 잼을 걸어 볼까."

뮤지션들끼리 모이면 재미있는 게, 마음만 맞으면 즉석에서 애드리브를 겨루는 잼이 가능하다는 거예요. 그때의 저는 프로 세션들처럼 수준급의 애드리브를 할 수 있는 실력은 아니었지만, 학교에 들어와서 잼에 푹 빠져 있던 터라 어떻게든 잼을 걸어서 그 곡을 같이 연주해 보고 싶은 마음이었어요.

타이밍을 재다가 피아노 선율에 조심스럽게 제 기타 멜로디를 얹었어요. 그러자 피아노가 잠시 멈칫하더니 연주가 이어지는데, 멜로디는 줄어들고 코드가 풍부해지는 게 마치 이렇게 말하는 것 같았어요.

'그래, 들어와. 달려보자.'

허락을 받은 것 같은 느낌에 저는 살짝 들뜬 마음으로 연주에 합류했어요. 중간중간 삐끗한 부분이 있었지만 제 나름대로 그 곡에서 받은 영감을 솔로 연주에 담았어요. 연주를 하면서도 느껴지는 건, 피아노가 나를 리드하면서 나의 부족한 부분을 채워 주고 있다는 느낌이었어요. 저의 솔로 연주에 맞춰 코드를 변주하면서 살짝살짝 서브 멜로디까지 얹는 게 들리자 절로 감탄이 나오더라고요.

"이 자식, 뭐지? 쩐다!"

제 솔로가 끝나고 피아노 솔로 차례였는데, 같은 곡을 갑자기 미디엄 템포로 바꾸면서 리드미컬하게 변주시키는 거예요.

'이것도 한번 해 볼래?'

이런 느낌.

'와……. 이렇게 할 수도 있구나!'

같이 연주를 하는데도 마치 저를 가르쳐 주고 있다는 느낌마저 들었어요. 곡의 분위기가 바뀌자 더욱 흥미를 느낀 저는 또 신나게 잼을 이어 갔죠.

'좋아, 들어와!'

몇 분이나 이어졌을까. 끝없이 할 수 있을 것 같던 잼을 어느덧 갈무리하면서 연주를 마무리했어요. 엔딩 노트의 잔음이 사라질 때까지 제 가슴에도 여운이 남아 바로 움직일 수가 없었답니다. 경험이 많은 건 아니었지만 학교 수업에서 간간이 하던 잼에서도 그런 느낌을 받은 적은 없었던 것 같아요.

이쯤 되니까 이 피아노 연주자가 대체 누구일지 너무 궁금했어요. 그래서 잔음이 완전히 사라지자마자 방을 박차고 나갔어요. 그런데,

"…… 뭐야?"

복도가 캄캄했어요. 제가 있던 방을 제외하고는 불 켜진 방이 없는 거예요. 누가 나가는 소리도 전혀 못 들었기 때문에 이 상황이 뭔지 잘 파악이 안 되더라고요. 설마 일부러 불을 끄고 암흑 속에서 연주하는 극한의 훈련을 하는 건가.

'변태도 아니고, 뭐 하는 놈이지?'

조금 무서웠지만 제 눈으로 확인을 해야겠다 마음먹었어요. 그래서 천천히 걸음을 옮기며 불 꺼진 방마다 창문 안을 꼼꼼히 들여다봤지만, 어슴푸레하게 보이는 각 방에는 정말

아무도 없는 거예요. 복도 끝 계단 근처까지 오게 된 저는 왠지 오싹해져서 다시 제 방으로 후다닥 뛰어 들어가 문을 잠갔어요. 방금 그 피아노 연주는 대체 누가 했단 말인가요.

잠도 안 올 것 같고 해서 마음을 진정시키기 위해 다시 공연 곡을 연습하려고 하는데, 문에 붙은 작은 창에 어떤 그림자가 있는 것 같은 느낌이 드는 거예요. 마치 제 방 안을 보는 것처럼요. 머리부터 얼음물이 확 끼얹어진 것처럼 온몸에 소름이 돋아 크게 움직이지도 못하고 눈만 돌려 바라보는데 뭔가 그림자가 휙 지나가는 것 같았어요.

문으로 달려가 창밖을 내다봤는데 복도엔 여전히 아무도 없었어요. 그런데 도저히 문밖을 나서서 확인할 용기는 안 나더라고요. 그래서 그냥 겉옷을 벗어서 문에 붙은 창을 가린 후 잠긴 문을 재차 확인하고는, 다시 이어폰을 끼고 공연 곡을 연습하기 시작했어요.

그런데 어느 순간 또다시 피아노 음이 들려오는데, 아까 들렸던 소리와는 완전히 달랐어요. 아까는 분명히 옆 라인 방에서 들리는 것처럼 방음벽 너머로 뭉툭하게 들리는 소리였는데, 지금은 이어폰 너머로 제 귀에 때려 박듯이 들리는 거예요.

'어떻게…… . 이게 말이 돼?'

저는 그대로 굳어 버렸어요. 그런데 피아노는 아까보다 빠른 템포의 곡을 연주하고 있었어요. 마치 잔뜩 신이 나서 이렇게 말하듯이요.

'이건 어때? 재미있겠지? 얼른 들어와!'

왠지 알 수 있었어요. 또다시 잼 연주를 하자는 거라는 걸. '나랑 놀자.' 하는 것처럼요.

귀신에 홀린 것도 아니고 진짜 너무 오싹해서 체온이 뚝 떨어지는 느낌이 들더라고요. 저도 모르게 성호(聖號)를 그으며 이어폰의 볼륨을 높였어요. 그러자 이어폰이 삑삑 하더니 고장이 나 버리는 거예요. 너무 깜짝 놀라서 저도 모르게 소리를 질렀는데, 그때부터 제 귀에는 피아노 연주만이 꽂히듯 들려왔어요. 근데 이게 귀로 들리는 소리가 아니라 뭔가 뇌에 때려박는 느낌이랄까. 귀를 막아도 소용이 없는 거죠.

'환청인가? 내가 미친 건가? 갑자기?'

어쨌든 피하지도 못하고 그걸 듣고 있으려니 온몸의 피가 얼어붙은 것처럼 몸이 말을 안 듣는데 방에 그대로 있지도, 나가지도 못하고 덜덜 떨리는 손만 꼭 부여잡고 있었어요.

그 와중에도 피아노 연주는 점점 저를 재촉했어요. 빨리 들어오라고.

근데 제가 반응을 보이지 않자 어느 순간, 코드 진행에 트라이톤 노트가 끼어들더니 점점 서스펜스 공포 음악으로 장르가 바뀌는 거예요. 꺼지지도 않는 BGM으로 기괴한 음악이 들리자 더는 그곳에서 버틸 수가 없겠더라고요. 정신없이 기타를 챙기는데,

탁!

갑자기 방 안의 불이 꺼졌어요. 너무 놀라서 그대로 굳어 버렸고, 그 사이에 제 눈은 점점 어둠에 익숙해졌어요. 그러자 보였습니다. 아니, 보고 말았어요. 어떤 여자의 등을요. 그 여자는 다름 아닌 제 방 안의 피아노 앞에 앉아서 연주를 하고 있었던 거예요.

"당신, 누…… 누구야!"

정말 너무 놀라니까 고함만 지른 채 나가지도 못하고 벌벌 떨고 있었어요. 왜냐하면 문이 피아노 바로 옆에 있었거든요. 작은 방 안에 피할 데가 어디 있겠어요. 기타가 방패라도 되는 것처럼 꼭 끌어안고 있는데, 머리를 울리는 음악이 점점 괴기스러워지더니 급기야 여자의 머리가 앉은 채로 돌아가기 시작했어요. 저를 향해 180도로, 사람이 꺾을 수 없는 각도로 말이죠. 돌아간 여자의 얼굴은 입이 귀까지 찢어져라 웃으며 저를 바라보고 있었어요.

'이 괴이한 음악은 어때? 들어올 수 있으면 들어와 봐.'

이렇게 말하는 것처럼요. 그 얼굴을 마주하는 순간, 저는 더 버티지 못하고 그만 정신을 잃고 바닥에 쓰러지고 말았습니다.

쿵.

그 이후로 저는 수업 이후에는 절대로 학교 연습실에 남아 있을 수가 없었어요. 제가 그날 겪은 일이 소문이 좀 퍼졌는지 밤에는 연습실이 텅텅 비었다고 하더라고요. 저희 때는 그랬는데 지금은 어떤지 모르겠어요. 어쨌든 그런 일을 겪고 나니 연습실이라는 공간에 혼자 있는 게 무서워졌고, 그 이후로 다시는 잼을 하지 않았습니다. 할 수가 없었던 거죠. 그렇게 점점 연습에 소홀해졌고, 결국 저는 현재 음악을 하지 않고 있습니다.

오랜 시간이 지난 지금, 음악이 그리워질 때면 가끔 이런 생각이 들어요. 만약 그때 아무것도 눈치채지 못하고 밤새도록 그 귀신과 잼을 나눴다면 저는 음악적으로 더 성장할 수 있었을까 하고요. 물론 그 뒤로 어떻게 됐을지는 아무도 모르지만 말이죠.

꿈과 담

9. 자각몽(自覺夢)

자각몽이라고 아시나요? 맞아요, 루시드 드림. 그게 자각몽이에요. 정확한 뜻을 말하자면 내가 꿈을 꾸고 있다, 현재 내가 꿈속이라는 것을 인지하고 있는 상태에서 꿈을 꾸는 현상을 말합니다. 그럼 한 번이라도 자각몽을 꿔 본 경험이 있나요? 어떤 사람들은 꿈속에서 꿈이라는 걸 인지하는 수준을 넘어서 꿈의 내용을 마음대로 컨트롤할 수도 있다고 해요. 자각몽을 소재로 한 영화 '인셉션'을 본 사람이라면 감이 올 텐데요. 실제로는 그 영화 정도의 스케일까지는 어렵겠지만, 날고 싶으면 날고 마음대로 장소를 바꾸는 등 원하는 대로 꿈을 통제하는 경지의 사람들도 어딘가에는 있을 수 있겠죠.

하지만 대부분의 자각몽은 꿈을 통제하기보다 그저 꿈이란

걸 인지하는 수준인 경우가 많을 거예요. 자각몽을 꾸는 것 자체가 그리 흔한 일은 아니니까요. 제 경우도 비슷해요. 꿈 자체를 통제하는 수준은 아니지만 꿈을 인지하고 나를 제어하는 정도의 자각몽을 종종 꾸곤 합니다.

자각몽을 어떻게 꾸게 된 거냐, 글쎄요. 어떤 사람들은 연습을 통해서 자각몽을 꾸기도 한다는데 저는 어느 날 꿈에서 그냥 알게 됐어요. '아, 꿈속이구나.' 하고. 한번 자각몽을 꾸기 시작하면 그 빈도는 점점 늘어납니다. 그런데 자각몽을 자주 꾸게 되면 무서운 게 뭔지 아세요?

첫 번째는 '중독'될 수 있다는 겁니다. 중독성이 매우 높아요. 이건 최악의 경우인데, 만약 내 현실이 우울하고 희망이 없는데 꿈을 통제할 수 있게 된다? 그러면 이건 게임 중독과도 다름없을 거예요. 아니, 게임보다 더 강력할 수도 있겠네요. 돈 한 푼 들지 않고 잠만 자면 내 마음대로 모든 걸 할 수 있잖아요. 재벌이 될 수도 있고, 나에게 매달리는 이상형과 근사한 시간을 보낼 수도 있고, 하늘을 날거나, 나를 괴롭히는 놈을 잔인하게 죽일 수도 있겠죠. 현실의 나라면 할 수 없는 그 모든 게 꿈에서는 가능할 테니까.

꿈을 통제할 수 없더라도 중독성은 있어요. 꿈에서 누가 나를 죽이려고 쫓아와도, 높은 빌딩에서 떨어져도 그저 한 편의 영화를 보듯이 마음 편히 꿈을 따라갈 수 있으니까요. 꿈의 장르는 무궁무진하니까 영화나 게임, 그 어떤 것보다 더 재미있을 수 있죠.

그럼 두 번째 무서운 점은 무엇인가. 점점 꿈과 현실을 구분하기 어려워진다는 겁니다. 꿈의 현실감이 높아질수록 더욱 그렇죠. 그래서 자각몽을 꿀 수 있게 됐다면 반드시 RC(Reality Check)를 통해서 그 순간이 현실인지 꿈인지를 확인해야 해요. 그렇지 않으면 어느 순간 정말로 내가 있는 이곳이 꿈인지 현실인지 구분하기 어려운 상태가 될 겁니다.

RC는 어떻게 하느냐. 사람마다 다르겠죠. 예를 들어, 코와 입을 모두 틀어막았을 때 숨이 쉬어지는지를 본다거나 하는 식으로요. 저 같은 경우는 어릴 때부터 손거스러미를 물어뜯는 버릇이 있는데, 뭔가에 집중하거나 긴장이 높아지는 경우에는 피가 날 정도로 뜯을 때가 있어요. 현실에서는 당연히 아프죠. 하지만 꿈에서는 아무리 피가 철철 나게 뜯어도 아프지 않더라고요. 바로 그게 저의 RC 방법입니다. 손거스러미를 피가 날 때까지 물어뜯는 것. 꿈에서 처음으로 RC를 했던 건 우연이었어요. 2021년이었나. 한창 '오징어 게임'이 유행하던 때였는데, 그 드라마를 너무 재미있게 봤던 그날 밤, 핫 핑크 점프 수트를 입은 그 세모 네모 가면들이 꿈에 나타났어요. 물론 저는 참가자들이 입은 초록색 트레이닝복을 입고 있었고, 저 말고도 제 주변에 참가자들이 일렬로 줄 서 있었어요. 주변을 둘러보니 우리가 서 있는 곳은 절벽 위였고, 세모 가면들 여럿이 참가자들을 통제하고 있었어요.

절벽 앞에는 네모 가면이 서 있었는데 참가자를 한 명씩 불러내더라고요. 호명된 참가자가 앞으로 나가자 네모 가면은 대뜸 '가위바위보'를 외쳤고, 결과는 참가자의 패배였어요. 이어 네모 가면이 참가자를 발로 차서 절벽으로 밀어 버렸어요. 네모 가면의 구호에 맞춰서 가위바위보를 내지 않아도 역시 절벽으로 차 버렸고요. 그럼 가위바위보에서 이긴 사람은 살아남는가. 아니요. 이상하게도 네모 가면을 이기는 사람은 아무도 없었습니다.

제 차례는 다가오는데, 앞에서는 아무도 가위바위보를 이기지 못해 계속 절벽으로 떨어지고 있고. 그걸 보고 있자니 얼마나 무서웠는지 다리가 후들거리는 것 같았어요. 저도 모르게 손거스러미를 미친 듯이 물어뜯고 있었는데, 어느 순간 보니 손가락에 피가 흥건하더라고요. 눈으로 보기 전까지는 전혀 아픈 줄도 몰랐고 피 맛도 느끼지 못했거든요. 그때 문득 깨달았어요.

'아, 이거 실제 아니다. 꿈이다.'

그걸 깨닫는 순간 저의 공포는 씻은 듯이 사라졌어요. 번호는 기억 안 나는데 어쨌든 제 번호가 호명되는 순간, 저는 미소마저 짓고 있었나 봐요.

'번지 점프 하는 기분이려나? 꿈인데 뭐, 절벽에서 언제 떨어져 보겠어.'

이런 생각을 하며 앞으로 나갔는데 네모 가면이 저를 보더니 입을 열었습니다.

"웃어?"

그 말을 듣는 순간 왠지 등줄기를 타고 소름이 쫙 돋았지만, 결국 저는 절벽에서 밀려 떨어졌고 낙하하는 기분을 만끽하다 땅에 부딪히기 직전에 잠에서 깨어났습니다. 그 이후로 자각몽을 점점 자주 꾸게 됐고, 저는 마치 관객의 입장에서 영화를 보듯이 그저 꿈을 따라가다가 무사히 잠에서 깨곤 했습니다. 그때까지는 아무리 무섭거나 위험한 상황이 와도 제가 누군가에게 말을 하거나 뭔가 행동하지 않았거든요. 그런데 최근에 무서운 경험을 하게 됐습니다.

제가 다니는 회사는 규모가 작지 않은 IT 중견기업이에요. 건물 한 층을 다 사무실 공간으로 쓰고 있는데 족히 이삼십 명은 같은 공간을 쓰고 있어요. 평소와 다름없이 회사에서 일을 하고 있는데, 그날따라 너무너무 일이 하기 싫은 거예요. 제출해야 할 개발 보고서가 있는데도 저는 홀린 듯이 인터넷을 떠돌며 손을 물어뜯고 있었어요. (회사에서 일을 안 하고 놀면 불안하니까요.)

얼마나 지났을까. 손을 슬쩍 봤는데 피가 줄줄 흐르고 있더라고요. 현실이라면 절대 그걸 모르고 있을 리 없잖아요. 꿈이라는 걸 확신한 저는 그때부터 마음 편히 휴대폰을 보며 딩가딩가 놀았어요. 그랬더니 옆자리의 입사 동기가 저한테 그러는 거예요.

"수영 씨, 오늘 왜 그래? 일 안 해?"

그래서 저는 별 생각 없이 이렇게 말했어요.

"안 해도 돼. 꿈에서까지 일을 해야겠어?"

그 순간, 동기의 얼굴이 마구 일그러지더니 흰자가 새빨개지면서 눈이 튀어나올 듯이 저를 노려보는 거예요. 마치 귀신 얼굴처럼 변하는 동기의 얼굴을 놀래서 바라보다가 퍼뜩 깨달았어요.

'어? 모르는 사람이잖아.'

동시에 사무실 안에 있던 모든 사람들이 벌떡 일어나 저를 쳐다보기 시작했어요. 평상시 꿈과 달리 도망쳐야겠다 싶은 찰나, 그 모든 사람들이 저를 포위하듯이 다가오며 이렇게 외치는 겁니다.

"어떻게 알았어?" "어떻게 알았어?" "어떻게 알았어?"

와, 그때의 소름 끼침은 이루 말할 수가 없어요. 제가 RC를 하지 않았다면, 제 손에서 피가 흐르는 걸 보지 않았다면 꿈인

줄도 모를 만큼 너무나 현실적이었거든요. 진짜 우리 회사 사무실인 줄 알았으니까요.

그날 이후로 저는 꿈을 꾸는 게 무서워졌고, 지금이 꿈인지 현실인지 확인하기 위해 시도 때도 없이 RC를 하게 됐습니다. 덕분에 제 열 손가락은 상처와 군살로 너덜너덜해졌고 밴드가 마를 날이 없었죠. 그렇게 하루하루 피가 마르던 어느 날, 며칠 만에 남자 친구를 만났어요. 서로 바쁘고 힘들다 보니 남자 친구랑 대화가 그리 많지 않은 요즘이었어요. 남자 친구는 초췌한 제 얼굴을 보더니 무슨 일 있냐고 묻더라고요.

"자기, 무슨 일 있어? 안색이 너무 안 좋은데."

카페에 앉자마자 대체 무슨 일이길래 얼굴이 이 지경이냐, 손은 또 왜 이러냐? 엄청 걱정을 하기에, 대수롭지 않은 척하며 그동안의 꿈 이야기를 해 줬어요. 남자 친구는 걱정을 하면서도 너무 신기해하면서 어떻게 하면 꿀 수 있는지 자각몽에 대해 이것저것 묻더라고요.

"그래서…… 어떻게 됐다고?"

얘기를 해 주는 와중에도 제가 습관적으로 손가락을 물어뜯고 있었나 봐요. 남자 친구가 자꾸 제 손을 잡아 내리며 뜯지 못하게 하는 거예요.

"그만해. 이러다 피 나."

저를 걱정해 주는 건 알겠는데, 현실 확인을 못 하게 하니까

불안이 확 높아지면서 갑자기 짜증이 솟구치는 거예요. 그래서 남자 친구에게 버럭 소리쳤죠.

"내버려둬! 이게 내 RC 방법이야. 피를 내야 확인이 된다고!"

그 순간, 남자 친구의 손에 힘이 들어가더니 제 손목을 부러뜨릴 것처럼 잡는 거예요. 너무 놀라 남자 친구의 얼굴을 쳐다보자, 이미 눈빛은 싸늘하게 변해 있었고 한쪽 입꼬리를 씩 올리며 이러는 겁니다.

"하……. 그거였어? 이제 알았네."

망치로 머리를 얻어맞은 듯한 충격에 눈을 떴어요. 저는 카페가 아니라 제 방에 혼자 누워 있더라고요. 잠이 들었던 겁니다. 제가 언제 잠들었는지도 몰랐다는 게 무서웠어요.

그리고 눈을 뜨는 순간 본능적으로 깨달았어요. 방금 꿈속에서 본 남친이 그전 꿈의 옆자리 동기였고, 저에게 '웃어?'라고 했던 괴물이었다는 걸요.

그때부터 회사도 못 가고 며칠째 뜬눈으로 잠을 못 자고 있어요. 지금 제가 있는 이 방은 현실일까요? 잠을 못 자고 있는 지금도 꿈속이 아닐까요? 만약 또 꿈을 꾸게 된다면 저는 어떻게 될까요? 대체 그 네모 가면은 어떤 존재길래, 저한테 왜 그러는 걸까요? 또 꿈을 꾸면 그 네모 가면이 저를 죽이려나.

저는 지금도 죽을 것 같은데…….

　하루라도 꿈꾸지 않고 마음 편히 자고 싶네요. 죽으면 편히
잘 수 있겠죠?

10. 가위 명당

가위 명당. 보자마자 느낌 오시죠? 거기서 잠들면 무조건 가위에 눌리는 그런 자리. 불행하게도 그런 가위 명당이 우리 집에 있었습니다. 그것도 제 방에요. 그 집으로 이사를 간 게 아마 10년 조금 넘었을 겁니다. 서울 변두리의 한 아파트에서 평수는 좀 작았어도 나름 잘 살고 있었는데, 갑자기 엄마가 이사를 간다고 하시는 겁니다.

"갑자기? 왜?"

"너희들 다 컸으니까 상관없잖아. 엄마는 아파트보다 마당 있는 집이 좋아."

서울에서 마당 있는 집이라니. 자세히는 몰라도 우리 집 형편이 그 정도로 넉넉하지는 않았습니다. 부모님은 누구보다

성실한 분들이셨지만 하루 벌어 하루 먹고 사는 직업으로 형과 제가 성인이 될 때까지 키우면서 한 푼 한 푼을 아끼며 고생하신 걸 알기 때문에, 갑자기 마당 있는 집을 샀다는 게 의아했습니다. 혹시 로또라도 당첨됐나 싶었지만 그것도 아니었습니다.

하지만 형은 이미 독립해서 나간 상태고, 저도 학교를 다 졸업하고 서울에서 직장을 다니고 있었기 때문에 서울 안이라면 크게 상관없었습니다. 엄마 집이고 엄마가 좋다는데 그럼 된 거죠, 뭐.

드디어 이사 당일. 손 없는 평일에 이사 날짜를 잡아서 이사는 부모님과 이삿짐센터가 알아서 하고, 저는 퇴근 후에 이사가 마무리된 집으로 처음 가 보게 되었습니다. 그리고 그 집을 보자마자 알게 되었습니다. 어떻게 우리 형편에 서울에서 마당 있는 집을 살 수 있었는지 그 집에 처음 들어섰을 때의 소감은 이랬습니다.

'서울에 아직도 이런 집이 있다고?'

일단 동네에 들어서는 순간, 시간이 80년대로 돌아간 게 아닌가 싶을 정도로 낙후된 곳이었습니다. 반대편 신시가지와 극명하게 분위기가 달랐습니다. (어느 동네인지는 밝히지 않겠습니다. 저희 부모님은 아직 그 동네에 살고 계시거든요.) 뚜벅이였던 저는 마을버스에서 내려 엄마가 알려 준 주소를 찾아 걸어갔습니다. 그런데 지도 앱이 가리키는 곳으로 들어가는 길은 막다른 골목뿐이었습니다. 뭔가 좀 이상했지만 막다른 골목 안으로 쭉 들어가니 한쪽에 낡은 철제 대문이 있더라고요. 바로 그 집이었습니다.

사람 두 명이 나란히 붙어서도 다니지 못할 만큼 좁은 이 골목으로 어떻게 냉장고, 세탁기를 옮겼나 신기해하며 대문 안으로 들어섰습니다. 시멘트 깔린 손바닥만 한 마당을 사이에 두고 유리 미닫이문이 보였습니다. 집 현관인 거죠. 정말 옛날에 지어진 집 구조인데, 관리도 제대로 되어 있지 않아서 언제 쓰러져도 이상하지 않을 정도로 낡아 보였습니다.

'하, 곰팡이까지……'

안으로 들어가니 더 이해가 안 갔습니다. 평수도 전에 살던 아파트보다 훨씬 작더라고요. 그런데 살던 짐을 거의 그대로 가져오니, 방이 3개였지만 각자 사람 한 명 누우면 꽉 찰 정도로 미어터졌습니다.

'뭐야, 이 코딱지만 한 방은?'

집 상태도 너무 나빴습니다. 중앙에 있는 거실 용도의 마루는 시멘트 바닥이 다 꺼져서 장판이 울퉁불퉁했습니다. 창틀도 유리 한 겹으로 된 옛날 새시였는데 삐걱거려서 여닫기도 힘들 지경이었습니다. 인테리어란 단어는 아예 머릿속에 없는 분들이라 기대는 안 했지만, 돈 아낀다고 도배도 새로 안

하고 그냥 들어왔더라고요. 하…….

마당에는 대형 거미줄이 있었고, 집 곳곳에서 바퀴벌레며 죽은 쥐까지 발견했습니다. 이쯤 되니 멀쩡히 살던 아파트를 팔고 왜 이런 집을 산 건지 정말 이해가 안 갔습니다.

"엄마, 이 집을 대체 왜 산 거야?"

"몇 년만 참아. 여기 다 재개발될 거야."

그렇습니다. 무슨 바람이 분 건지 엄마는 이 지역이 5년 안에 재개발될 거라는 부동산 업자의 말을 믿고 덜컥 이 집을 사버린 겁니다.

"좀 낡았으면 어때. 마당에 해도 들어와. 빨래 널기도 좋고, 괜찮구먼. 뭘 그래!"

손바닥만 한 마당에 해 들어오면 뭐 합니까, 코딱지만 한 집 안에는 햇빛이 1도 안 드는데. 게다가 옆집, 뒷집과의 거리가 30cm 정도나 될까. 집들 사이 간격은 사람이 절대 드나들 수 없을 만큼 좁아서 옆집 화장실 물 내리는 소리가 들릴 정도였습니다. 당연히 집 안까지 햇빛이 들어올 수가 없는 구조였죠. 옛날에는 그렇게 다닥다닥 집을 짓고 살았나 봅니다.

어쨌든 이미 이사까지 와 버렸는데 뭘 어쩌겠습니까. 저는 짐으로 꽉 찬 제 방을 대강 정리하고 피곤한 몸을 뉘었습니다. 겨우 다리 뻗고 누우니 방이 꽉 차더군요. 갑자기 잠자리가 좁아져 뒤척이기도 불편했지만 저는 금세 잠이 들었습니다.

처음 몇 주는 괜찮았던 것 같습니다. 저희 집안은 천주교 신자 집안이라 십자가와 성모상 같은 성물들이 집안 곳곳에 있었거든요. 그래서 그랬는지 몰라도 초반에는 괜찮았는데, 한 달쯤 후에 생전 처음 가위에 눌렸습니다. 그리고 그때부터 시작이었습니다.

"으…… 으……."

처음 겪은 가위는 평이했습니다. 여러 이야기에서 많이 들어 온 것처럼, 머리는 잠에서 깬 것 같은데 정말 몸이 움직여지지 않더라고요. 그뿐이었습니다. 무서운 게 보이지도 않고 해서 그냥 '신기하다.' 생각하며 다시 잠든 것 같습니다.

그런데 그다음 날, 또 가위에 눌렸습니다. 잘 자다가 한밤중에 갑자기 머리는 잠에서 깨는데 몸은 움직여지지 않고 그래서 이번에는 열심히 손가락끝을 움직여 보려고 했습니다. 손끝이나 발끝을 움직이면 가위가 풀린다는 얘기를 어디선가 들은 것 같아서요. 근데 생각보다 그게 쉽지가 않았어요. 정말 손끝이 꼼짝도 하지 않는 겁니다. 그래서 저는 마음속으로 주기도문을 외우기 시작했습니다.

'하늘에 계신 우리 아버지. 아버지의 이름이 거룩히 빛나시며 아버지의 나라가 오시며 아버지의 뜻이 하늘에서와 같이 땅에서도…….'

분명 아무 소리도 없었습니다. 제가 주기도문을 외우기 전까지는요. 저도 목소리를 낼 수 없었기 때문에 속으로만 외우고 있었는데, 갑자기 왼쪽 귀에서 알 수 없는 소리가 들렸습니다.

"스브삵귀스뷔습피시파스비수."

알아들을 수 있는 말은 아니고 뭔가 여럿이 속삭이는 것 같은 소리를 아주 빨리 감는 느낌이랄까. 그런 소리가 왼쪽 귀에서 들리더니 빠르게 오른쪽 귀로 쌩 통과하는 느낌이 들고는 가위가 탁 풀렸습니다.

"와, 뭐냐 이거."

벌떡 일어난 저는 컴컴한 방 안을 둘러봤습니다. 꽉 찬 제 짐 말고는 당연히 아무것도 없었지만 왠지 기분이 찜찜하더라고요. 남는 방 하나는 창고로 쓰고 있어서 여기 말고는 잘 곳도 딱히 없었던 터라 제가 알고 있는 기도문을 총동원해 줄줄 외우다가 잠들었던 것 같습니다.

매일 밤 그렇게 기도를 외우다 잠들었고, 정말 기도가 효과가 있는지 그렇게 잠든 밤은 괜찮았던 것 같습니다. 그런데 사람이 또 살 만해지면 느슨해지는 법이죠. 야근 후에 술을 한잔하고 들어온 어느 날, 술기운에 기도 없이 그냥 잠들었던 것 같습니다. 취해서 자면 웬만해서 한두 시간 만에 깨기 힘든데, 한참 자다가 갑자기 정신이 들었습니다. 역시 몸이 움직이지 않길래 눈만 살짝 떠 봤습니다. 그런데 어떤 시커먼 여자 형체가 제 발치에 서서 저를 내려다보고 있는 겁니다!

'뭐야! 저리 가…… 저리 가라고!'

너무 놀라서 제가 눈을 크게 떴나 봅니다. 그 여자 형체도 눈을 크게 부릅뜨고 저를 쳐다보더라고요. 머리부터 발끝까지 다 시커먼데 눈만 보였습니다. 정체불명의 여자가 방 안에 서서 형형한 눈빛으로 쏘아보는데 몸은 꼼짝도 안 하고 미칠 노릇이었습니다. 그런데 눈만 보이던 그 여자가 마치 입을 벌리는 것처럼 느껴졌습니다. 동그랗게 입을 벌리고 뭐라고 하는 것 같았는데 소리는 들리지 않았습니다. 시선을 피하기 위해 저는 눈을 굴리면서 필사적으로 손끝을 움직이려고 했습니다. 그러자 여자가 보란 듯이 입을 쩍 벌리는데 턱이 빠진 것처럼 입이 가슴까지 내려가는 겁니다. 너무 기괴해서 더 이상 보고 있을 수가 없었어요. 눈을 질끈 감고 말았습니다. 그때 스치듯이 말소리가 들리는 것 같았습니다.

"나…… 가!"

언뜻 들린 그 말을 이해하기 전에 저는 기절한 건지 잠든 건지 모르게 정신을 잃은 것 같습니다.

다음 날 아침에 눈을 뜬 저는 그게 꿈일 거라고 생각했습니다. 너무 말이 안 되니까요. 술을 너무 먹어서 그런가 보다 저를 탓하며 당분간 술도 자제해야겠다고 생각했습니다. 엄마한테 대강 얘기하니 몸이 허해져서 헛것을 본 것이라며 삼계 탕이라도 끓여야겠다고 하시더라고요. 그런 걸 보니 부모님 은 전혀 가위에 눌리지 않는 것 같았습니다. 일단은 그런가 보 다 하고 넘어갔는데, 문제는 그날 밤이었습니다.

잠이 잘 안 와서 뒤척이다가 언제 잠들었는지 모르겠습니 다. 갑자기 몸이 굳는 느낌에 눈을 떴습니다. 그런데 머리맡의 느낌이 이상했어요. 제가 눕는 머리맡에는 창문이 있거든요. 눈을 굴려 보니, 창문 옆 벽에 시커먼 사람 형체가 붙어 있는 겁니다! 창문은 분명히 닫혀 있었고 창문 너머 뒷집과는 간격 이 너무 좁아 사람이 못 다니는 곳인데 말입니다. 아니, 일단 사람이 벽에 붙어 있는 것 자체가 말이 안 되죠. 사람이 아니 구나 확신했습니다.

'저건…… 사람이 아니다!'

온몸에 식은땀을 줄줄 흘려 가며 필사적으로 일어나려 하 고 있는데, 벽에 붙어 있던 사람 형체가 밑으로 내려오기 시작 했습니다. 게다가 아까 그게 붙어 있던 자리에 또 다른 사람 형체가 벽에서 배어 나오듯이 나타나는 겁니다! 벽에서 점점 제 머리맡으로 기어오는 그 형체들을 보고 있자니 태어나서 처음 느끼는 극한의 공포가 느껴졌습니다. 여기서 도망가야 한다는 생각뿐이었어요. 땀을 뻘뻘 흘리며 필사적으로 손발 을 움직였고, 첫 번째 사람 형체가 바닥에 내려오며 저와 눈을

마주치던 그때, 손끝이 살짝 움직여지며 가위가 풀렸습니다.

"아악!"

저는 소리를 지르며 방을 뛰쳐나왔습니다. 주무시던 부모님도 제 비명을 듣고 놀라 방에서 나오셨습니다. 엄마는 한겨울에 땀에 흠뻑 젖은 저를 보고 놀라셨고, 아버지가 제 방으로 들어가 살펴보셨습니다. 하지만 아무것도, 누가 침입한 흔적도 없었습니다. 그래도 저는 더 이상 그 방에서 잘 수가 없었어요. 며칠 동안 그 울퉁불퉁한 마루에서 몸을 구기며 잠을 자야 했습니다.

*

며칠 후, 마침 설이어서 형이 명절을 쇠러 집에 왔습니다. 마루에서 자는 저의 사정을 들은 형이 자기가 그 방에서 자 보겠다고 하더군요. 후회하지 말라고 했지만 형은 호탕하게 제 방으로 들어갔습니다. 다음 날 먼저 일어난 저는 형을 깨우러 방에 들어갔습니다. 제 예상과는 달리 잘 자고 있더라고요.

"형, 일어나 봐. 가위 안 눌렸어?"

"아, 뭐 가위인지 꿈인지 모르겠는데……."

형이 본 건 저와는 좀 달랐습니다. 자고 있는데 갑자기 주변이 시끄러워지더랍니다. 제 말대로 몸이 안 움직여지기에 그냥 무슨 소린가 자세히 들어 봤답니다. 그랬더니 빨리 감는 듯한 말 속도로.

"애는 못 보던 얼굴인데?"

"코가 너무 뭉툭해."

"입술이 너무 얇아."

"어깨도 비뚤어졌네."

"손 되게 못생겼다."

이런 식으로 머리부터 발끝까지 자기 외모를 평가하더라는 겁니다. 그 상황은 둘째 치고 내용이 어이가 없어서 눈을 떠 봤는데 형 주변으로 커다란 입술들이 둥둥 떠 있더라는 겁니다. 계속 떠들어 대서 시끄럽긴 한데 별로 무섭지도 않고 몸도 안 움직여지기에 그냥 잤답니다.

"그냥 성물 몇 개 더 갖다 놓고 성수 좀 뿌리고 자. 별것도 아니구먼."

"하……."

웬지 열받더라고요. 제가 쫄보라서 그런 게 아닌데 말입니다.

"쳇, 누가 겁나서 그런 줄 알아? 나도 그까짓 귀신 따위 겁 안 나거든!"

형이 자기 집으로 돌아간 그날 밤, 저는 형 말대로 성물과 성수를 준비한 후 십자가를 가슴에 끌어안고 다시 제 방에서

잠을 청했습니다. 이렇게까지 해야 하나 싶기도 했지만 왠지 형한테 지는 기분이어서 이대로 물러설 수 없었거든요. 어느 샌가 잠이 들었고 또 어느샌가 몸이 굳어진 걸 느꼈습니다. 눈을 반짝 뜬 그때, 제 눈앞에 보이는 모습에 저는 그대로 기절하고 말았습니다.

"크…… 흑."

저는 십자가를 가슴에 품은 채 그대로 굳어 있었고, 한둘도 아니고 열은 족히 넘는 검은 사람 형체가 제 주변을 둘러싸고 저를 내려다보며 낮은 소리로 윙윙거리고 있었습니다.

"나가!" "나가!" "나가!" "나가!"

그 모습은 마치 관에 누워 있는 저를 향해 염을 읊는 것 같았습니다. 내용은 전혀 다르지만요. 저를 둘러싼 그 모습에 너무 충격을 받은 나머지 뭘 어떻게 하겠다는 생각을 하기도 전에 기절한 것 같습니다. 순간이었지만 그 모습이 너무도 강렬해서, 한동안 트라우마처럼 똑바로 누워 잠을 자지 못할 정도였습니다.

"헉…… 헉."

그 이후로 저는 그 방에서 아니, 그 집에서 더 이상 잘 수가 없었습니다. 부모님은 창고 방과 방을 바꾸라고 하셨지만 저는 그냥 나가고 싶은 생각뿐이었습니다. 결국 형 집에서 몇 달을 비비다가 회사 근처로 거처를 마련했습니다. 그 방이 문제였던 게 확실합니다. 그 이후로 저는 가위에 눌리지 않고 있으니까요.

"가위? 난 눌린 적 없는데……."

다행히 부모님은 가위에 눌린 적이 없다고 하십니다. 왜 하필 저에게만 그런 사람 형체가 보였을까요? 그 자리에 뭔가 있던 걸까요? 나중에 알아보니 70년대쯤 그 지역에 철거민들이 많이 살았다고 하더라고요. 하지만 그 자리에서 무슨 일이 있었는지는 알 수가 없습니다. 5년만 버티면 될 줄 알았던 그 집이 재개발 삽을 뜨기 시작한 건 10년이 훌쩍 넘은 후였습니다. 그것들은 저를 내쫓았지만, 엄마는 그 낡은 집에서 추위와 더위에 고생하며 끝까지 버텼고 결국 그 집은 재개발되었습니다.

이제는 궁금해집니다. 아파트가 들어선 후 그 자리가 누군가의 집이 된다면 그곳에서 잠을 자는 모두가 그 형체들을 보게 될지 말입니다. 물론 그런 가위 명당을 남들도 겪어 보길 바라는 건 아닙니다. 저희 부모님도 또다시 그곳에서 사실 테니까 가급적이면 그 자리에 집이 아닌 다른 공간이 들어서길 바랄 수밖에요.

외자괴담

11. 516 도로

가로등 하나 없는 구불구불한 산길을 미친 듯 달리고 있는 차 한 대.

"빨리빨리! 더 빨리 달리라고!"

운전석과 조수석에는 공포에 질린 두 명이, 그리고 뒷자리에는 숨이 껵꺽 넘어가는 한 명이 타고 있었습니다. 차 안에서 죽어 나갈지, 아니면 인적 없는 산길 도로에서 폭주하다 사고가 나서 죽을지 모를 정도로 급박한 상황이었어요. 그건 바로 저와 제 친구들이 타고 있던 차였습니다.

"지금…… 최고 속도야!"

그 끔찍했던 경험은 그리 오래되지도 않은 일이었어요. 코로나19가 터지기 직전인 2019년 여름, 친구들과 여행을 갔던 제주에서 정말 믿기 힘든 경험을 했습니다.

"우왕, 제주도다!"

대학 때부터 친했던 친구 둘과 저 포함 셋은 처음으로 제주 여행을 갔습니다. 여자 셋이 가는 여행은 처음이라 다들 들뜬 상태였어요. 각자 가고 싶은 곳 리스트를 잔뜩 준비해서 함께 다니기로 했습니다. 공항에서부터 와자지껄 신나는 분위기였죠. 둘은 운전자였고 은경이는 면허가 없어서, 저와 예주 둘이 번갈아 운전을 하기로 하고 은경이는 그때그때 우리의 목적지나 주변을 검색하는 역할을 맡았습니다.

"저기 사거리에서 우회전."

첫째 날은 날씨가 좋아서 여기저기 신나게 다녔어요. 렌트한 차를 타고 저희 셋은 해변 도로를 따라 신나게 달렸죠. 흥겨운 드라이브 음악에 몸을 맡긴 채 차창을 모두 열고 바닷바람을 만끽했어요. 에메랄드빛으로 펼쳐진 바다를 눈앞에 두고 소금기 섞인 시원한 바람을 맞으니 더위도, 그간 쌓였던 스트레스도 모두 날아가는 것 같았죠. 맛있는 것도 먹고 예쁜 카페도 가고, 경치도 좋고 기분도 좋고 모든 게 완벽한 여행이었어요.

"우리 여기서 셀카 찍자."

문제는 둘째 날이었습니다. 첫째 날은 바다, 둘째 날은 산림욕으로 여행 컨셉을 잡았기 때문에, 다음 날 저희는 제주시에서 늦은 점심을 먹고 '사려니 숲길'에서 산림욕을 하고 저녁에 서귀포 쪽으로 내려가는 것으로 코스를 짰습니다. 하필 그날 날씨가 흐리고 좋지는 않았지만 그래도 비가 오진 않아서 저희는 일정대로 움직였어요. '사려니 숲길'을 걸으며 여유롭게 산림욕을 하고 나오니 벌써 해가 저물고 있더라고요. 서귀포까지 가려면 한라산을 넘어가야 했기 때문에 저희는 서둘러 차에 올랐습니다. 예주가 운전할 차례여서 저는 조수석에, 은경이는 뒷좌석에 자리를 잡고 출발했습니다.

"고고!"

삼나무가 펼쳐진 도로를 달리다 한라산 중턱을 넘어가는 도로로 접어들었을 무렵, 갑자기 안개가 자욱해졌습니다. 게다가 산은 해가 빠르게 지더라고요. 어느덧 어둑어둑해진 데다가 가로등도 하나 없어 자동차 라이트에만 의존해서 달릴 수밖에 없었고, 거기에 안개까지 끼니 으슬으슬한 느낌마저 들었습니다. 자연스럽게 차 안의 분위기도 조용해졌어요.

'뭐야, 이 분위기는……'

그러다 제가 뭔가를 보고 흠칫 놀라고 말았습니다. 차도 거의 안 다니는 어두운 산길 도롯가에 갑자기 사람들이 나타난 겁니다. 그런데 그 사람들 모습이……. 일반적인 사람의 형상이 아니었어요. 선명하게 보이지도 않는 형체였지만 뭔가 요즘 옷이 아닌 옛날 의복 같은 것을 입고 있는데 팔이며 다리,

머리 등 신체 일부가 기괴하게 꺾여 있거나 짓이겨지거나 없는 사람들이었습니다. 그런 이들이 한두 명이 아니라 도로 양쪽에 끝도 없이 서 있는 겁니다!

'사람이 아니다!'

이쯤 되면 눈치 채셨겠지요. 네, 저는 귀신을 봅니다. 그리고 이들이 사람이 아닌 건 분명했어요. 차 안의 셋 중에 놀라서 석고상 마냥 굳어버린 건 저 혼자뿐이었으니까요. 도롯가에 서 있는 이들의 시선은 온통 저희 차를 향해 있었어요. 마치 달리는 차를 구경하는 것처럼요. 저희가 오기 전부터 쳐다보고 있다가, 저희가 지나가면 같은 속도로 고개가 움직이는 겁니다. 맞은편에 서 있는 이들도 마찬가지로 저희를 쳐다보다가 맞은편에서 차가 오면, 그 차를 따라 고개가 움직였어요.

"여기 뭔데⋯⋯?"

저도 모르게 혼잣말로 중얼거렸어요. 더욱 기겁한 건, 그들이 도롯가에만 있는 게 아니었다는 거예요. 어둡고 안개 때문에 자세히 볼 수는 없었지만, 도롯가 너머 나무 사이사이, 그리고 나무 위까지 수를 헤아리기 어려울 정도로 많은 사람들의 형체가 보였기 때문입니다. 그 수많은 시선들이 저희를 향해 있는 걸 느낀 순간, 저는 급히 음악을 껐습니다.

"아, 왜 꺼."

"그냥 조용히 가자."

뒤에 있던 은경이가 항의했지만 저는 무시했습니다. 그럴 수밖에 없었으니까요. 손이 덜덜 떨리는 게 느껴져 저는 두 손을 꼭 부여잡았습니다. 저의 긴장이 느껴졌는지 운전을 하던 예주가 저에게 물었습니다.

"야, 혜진. 왜 그래?"

"……."

제가 대답도 없이 굳은 얼굴로 앞만 바라보고 있자, 예주는 뭔가 눈치챈 듯이 더 묻지 않고 속도를 올리기 시작했습니다. 예주는 제가 귀신 보는 걸 알고 있었거든요. 하지만 원하는 만큼 속도를 올릴 수는 없었어요. 도로가 워낙 구불구불하고 어두운 데다가 시야도 좋지 않아 위험했으니까요. 밖에 저 수많은 이들이 저희를 지켜보고 있는 것만으로도 식은땀이 흐르는데 만약 야생 동물이라도 뛰어나온다면 상상하기도 싫네요.

그때 제가 화들짝 놀라고 말았습니다.

"헉!"

"왜! 왜?"

"하하, 너희 왜 이렇게 겁이 많아~."

옆의 예주는 제가 놀라자 같이 놀랐고, 뒤의 은경이는 저희가 밤의 산길이 무서워서 그런다고 여기는 것 같았습니다. 그래도 은경이에게 그게 아니라고 굳이 말하지 않았어요. 제가 보는 상황을 알게 되면 예주처럼 저랑 같이, 아니 저보다 더 무서워할 수도 있잖아요. 공포를 나누면 반이 되는 게 아니라 두 배 그 이상이 될 때가 있어요. 그러면 패닉이 오거든요. 그래서 가급적 귀신이 보인다는 커밍아웃은 하지 않는 편입니다. 지금처럼 이들이 그냥 보고만 있다면 저만 무섭고 끝나면 되니까요. 웬만하면 뭘 봐도 크게 티 내지 않는 편인데, 제가 티 나게 놀란 이유는 따로 있었습니다.

갑자기 옆에서, 정확히 말하면 은경이가 있는 조수석 뒤쪽에서 창문 두드리는 소리가 들렸기 때문이에요. 문제는 저희가 도로에 서 있는 게 아니라 달리고 있었다는 거죠. 슬쩍 속도를 보니 60km 정도로 달리고 있었는데, 창문을 계속 두드린다는 건…….차 속도를 따라 달리고 있다는 거잖아요.

게다가 소리가 점점 조수석 쪽으로 다가오고 있었어요. 두드리는 속도도 점점 빨라지면서요.

톡톡톡톡톡톡톡.

두드리는 소리는 이미 제가 있는 조수석 창문에서 들리고 있었어요. 제가 덜덜 떨면서 앞만 봤더니, 이것이 조금씩 더 앞으로 이동해서 제 시야에 걸리는 위치까지 오더니 미친 듯이 창문을 두드리는 겁니다! 도저히 볼 수가 없어서 저는 눈을 꾹 감아 버렸어요.

이러다 창문이 깨지지 않을까 걱정하던 찰나, 갑자기 창밖이 조용해졌습니다. 떨어져 나간 건가 싶어 잠시 후에 슬쩍 눈을 떠 봤어요. 그런데 웬걸요. 그것은 아예 한 손으로 사이드미러를 붙잡고 너풀거리며 제가 눈 뜨기를 기다리고 있었던 겁니다!

저랑 눈이 마주치자마자 그것은 입이 찢어져라 웃으며 다시 미친 듯이 창문을 두드리기 시작했어요. 마치 주먹을 쥐고 있는 것처럼 보이던 그 손은 뭔가에 짓이겨진 것처럼 손가락이 없었고, 그 손이 두드렸던 곳마다 핏자국이 찍혀 유리창은 온통 피투성이였습니다.

"흐읍!"

울먹이는 소리가 새어 나갈까 봐 제 입을 틀어막았어요. 제가 그러자 예주도 불안해하는 기색이 역력했지만, 소리 내지 않으려는 저를 보고는 캐묻지 않고 운전에 집중했습니다. 그런데 여기서 끝이 아니었어요.

차 지붕 위에 텅, 뭔가가 내려앉는 소리가 나더니.

텅텅텅텅.

귀를 집중해 들어 보니 떨어지는 소리가 아니라 안착하는 소리 같았어요. 뭐가 내려앉은 건지 생각하고 싶지도 않았습니다.

"예주야, 좀만 더 빨리 달려 봐."

웅얼거리듯 말했지만 제 말을 알아들었는지 예주는 이를 악물고 속도를 더 내려고 노력했어요. 그런데 그때 은경이가 뭔가를 느꼈는지 "야, 답답하지 않냐? 아, 숨 막혀."

그러더니 말릴 새도 없이 뒤 창문을 내리는 겁니다.

"안 돼!"

제가 기겁하듯 소리치며 은경이를 돌아보자, 깜짝 놀란 예주가 운전석에서 뒤쪽 창문을 닫았어요. 하지만 때는 이미 늦었습니다. 사이드 미러를 잡고 붙어 오던 그것은 어느새 이미 은경이의 옆에 들어와 앉아 있는 겁니다. 저와 눈이 마주친 순간, 그것이 히죽 웃더니 은경이의 목을 조르기 시작했어요. 그리고 그걸 구경이라도 하듯, 차 지붕에서 수많은 머리들이 거꾸로 유리창을 에워싸고 차 안을 들여다보는 겁니다.

"커억……. 컥!"

"은경아! 왜 그래?"

"예주야! 빨리빨리! 더 빨리 달리라고!"

"알…… 알았어."

구불구불한 산길을 미친 듯 달리다 보니, 커브를 돌 때마다 언제 전복돼도 이상하지 않을 만큼 휘청거렸습니다. 하지만 은경이 목을 조르는 저것 때문에 지체할 수가 없었어요. 은경이는 점점 숨이 넘어갈 것처럼 급기야 눈을 뒤집어 까기 시작

했고, 저는 다 보이면서도 그것을 막을 수 없는 데다, 창문을 내리기만 기다리는 것처럼 차창을 둘러싸고 쳐다보는 머리들 때문에 미치기 직전이었습니다.

"저리 꺼져!"

그때 차가 한쪽으로 뒤집힐 것처럼 홱 꺾이면서 시야가 조금 밝아졌습니다. 드디어 산길 도로를 빠져나온 겁니다. 도로 주변 나무숲을 지나고 평지가 보이기 시작하자 안개가 사라졌어요. 그러자 은경이의 목을 조르던 그것도, 차 지붕에서 거꾸로 쳐다보던 머리들도 거짓말처럼 사라졌습니다.

"됐어……. 예주야, 천천히."

그제야 예주는 속도를 줄이더니 조금 더 가서 한쪽에 차를 세우고 깊은 한숨을 내쉬며 늘어졌습니다. 급히 확인해 보니 은경이는 이미 기절한 상태였고, 예주는 티셔츠가 땀에 흠뻑 젖을 정도로 긴장했던 걸 알 수 있었어요. 그제야 저도 한숨을 내쉬며 시트에 늘어졌습니다. 사고 없이 버텨 준 예주가 그렇게 고마울 수가 없더라고요. 더 이상 운전할 기력도 없이 온 힘이 빠진 저희는 차 문과 창문을 꼭꼭 잠근 채 잠시 그렇게 차에 늘어져 있었습니다.

숙소로 돌아와 정신을 차린 은경이에게 저는 커밍아웃할 수밖에 없었고, 그 도로에서 제가 본 것을 둘에게 얘기해 주었습니다. 얘기를 들은 둘은 사색이 되었고, 급기야 그 도로를 검색해 보기 시작했어요. 그 도로는 516도로, 정식 명칭은 지방도 1131번 도로였습니다. 몰랐는데 그곳은 제주도의 귀신 도로로 유명하더라고요. 방송에도 나오고 무속인들도 찾아가 볼 만큼, 저 말고도 그 도로에서 귀신을 봤다는 사람이 많았습니다. 안개 주의 지역이라 그 도로에서 사고도 많이 났지만, 과거 도로를 깔 때부터 많은 인부들이 희생됐다는 사실도 알게 됐어요.

제가 본, 신체가 훼손돼 있던 그 많은 사람들은 그때 희생된 사람들일까요? 어쨌든 제주도는 너무 좋고 아름다운 곳이지만, 제주에 또 가더라도 저는 다시는 그 도로를 지나가지는 못할 것 같습니다.

12. 폐사우나 체험

흉가 체험 이런 거 좋아하신다면, 지금부터 제가 하는 얘기를 듣고 다시 생각하세요. 흉가 체험 좋아라 하던 제 남동생이 2년 전에 겪은 이야기를 해 드리겠습니다. 제 동생은 학창 시절부터 괴담 같은 걸 좋아해서 흉가 체험 유튜브를 엄청나게 찾아보던 녀석이었어요. 그러더니 대학에 들어가서는 마음 맞는 친구를 만났는지, 친구와 함께 본인이 직접 흉가 체험 유튜버가 되겠다며, 채널 개설도 하기 전부터 '실버 버튼, 실버 버튼'을 입에 달고 다니더라고요.

"실버 좋아하네. 영상 하나라도 올리고 얘기해."

"흉가 체험에서 중요한 건 뭐? 장.비.빨."

제 말은 귓등으로도 안 듣더니 결국 장비를 샀더라고요.

EMF 측정기라고, 전자기장을 탐지해 주는 장비랑 무슨 녹음하는 장비를 사서, 택배가 도착한 다음 날 저녁에 바로 첫 체험을 하러 나갔습니다.

"렛츠 고!"

저랑 동생은 곧잘 티격태격하지만 사이가 나쁘지 않아서 이런저런 일이 있으면 자주 공유하는 편이었어요. 동생은 첫 체험을 하고 새벽에 들어왔는지 곯아떨어져 있더라고요. 제가 저녁에 돌아오니 집에 있길래 물어봤습니다.

"어제 체험 어땠냐?"

"대박이었지! 소름 오져. 한번 가 볼래?"

"응. 꺼져."

저희는 경기도 아래쪽에 살고 있는데 멀지 않은 지역에 버려진 폐가가 있었어요. 가끔 오가며 보던 곳이라 궁금했었는지 가까운 곳부터 가 본 것 같았습니다. 그렇게 신이 났던 첫 체험 영상을 올렸지만, 조회수도 적고 별로 반응이 좋지 않았나 봅니다. 동생은 한동안 '새롭고 더 센 곳'을 찾다가, 어느 날 1박 2일로 충청도를 다녀오겠다고 하더라고요.

"거기 뭐 있는데?"

"현우 시골집인데 그 근방에 10년도 넘게 방치된 폐사우나가 있대. 벌써 음습한 게 막 대박 냄새 나지 않음?"

현우는 같이 체험하는 친구였는데, 어릴 때부터 근방의 산

초입에 버려진 폐사우나 얘기를 꺼냈다고 해요. 귀신이 나온다는 소문도 있고, 동네 사람들도 절대 가지 않는 곳이라 거기 뭐가 있는지 아무도 모른다고 했답니다. 말은 꺼냈지만 자기도 좀 꺼림칙한 곳이라며 나중에 가자고 동생을 말렸는데, 이미 그곳에 꽂힌 동생은 무조건 거기에 가야 한다고 밀어붙였대요.

"닥치고, 고고 몰라?"

둘은 갖고 있는 심령 장비와 대형 플래시, 핸드폰 거치대 등을 챙겨서 현우의 시골집으로 내려갔습니다. 폐사우나로 들어서는 길목부터 라이브 방송을 하겠다는 야심 찬 계획까지 세웠다고 해요.

"자, 시작하자."

흉가 체험은 밤에 해야 제맛이라고, 자정쯤 되어 둘은 폐사우나로 향했습니다. 위치가 산 초입이고 건물이 보이는 곳까지 도로가 잘 닦여 있어서 차로 가기 수월했는데, 건물 주차장 부근부터는 풀이 무성하게 자라 있어서 입구로 가려면 풀을 헤치며 들어가야 했고, 4층짜리 건물 외벽은 덩굴이 무성하게 덮고 있는 데다 입구 문과 유리창도 다 깨져 있어서 겉에서만 봐도 폐건물이라는 걸 모를 수가 없었답니다. 보기만 해도 흉흉한데, 소쩍새도 울어 대고 숲에서 뭐가 자꾸 움직이고 날아다니는 소리가 나서 건물 주변 전체적으로 으스스한 분위기가 감돌았다고 해요.

"야……. 여기 분위기 쩐다!"

풀이 무성한 주차장에 차를 대고, 둘은 핸드폰을 세팅한 후 라이브 방송을 시작했습니다.

"아직 많이 안 들어오셨네. 얼른얼른 들어오세요!"

"자, 시작합니다. 안녕하십니까, 여러분…… 저희가 또 찾아 왔습니다!"

"자, 이 건물 보이시나요? 오늘 저희가 찾아온 곳은…….'

둘은 방송을 이어 가면서, 풀을 헤치고 깨진 문을 넘어 입구 로 들어갔습니다.

"자, 여기가 데스크가 있던 로비인데요. 입구부터 아주 엉망 이네요."

"그리고 여기부터 벌써 습한 기운이 엄청 느껴져요."

"어, 맞어 맞어. 역시 사우나는 다르네유."

꽤 넓은 곳이었는데, 대기하던 의자도 쓰러져 있고 쓰레기 와 동물들의 배설물도 여기저기 널려 있었다고 해요. 폰 카메 라로 로비를 쭉 훑어 보여 줬는데, 데스크 너머로 왼쪽은 남 탕, 오른쪽은 여탕으로 들어가는 문이 있었습니다.

"자, 그러면 남탕부터 한번 들어가 볼까요?"

하며 조심조심 안쪽으로 들어가는데, 갑자기 현우가 머리를 부여잡았습니다.

"윽……. 머리야. 갑자기 어지러워."

"뭐야, 이제 시작인데."

"근데 진짜 머리가 아파. 여러분, 여기 기운이 엄청 센가 봐요."

어쨌든 둘은 남탕 안으로 들어섰습니다. 탕은 저 안쪽에 있고 둘은 옷을 갈아입는 탈의실로 들어섰을 뿐인데, 로비와는 급이 다른 습함과 곰팡이 냄새가 훅 끼쳐 왔답니다.

"와……. 머리 진짜 아프네. 곰팡이 냄새 때문인가?"

"와씨! 이게 뭐야?"

플래시로 탈의실 안을 비춰 보던 동생이 발견한 것은 바닥에 흩어져 있던 동물의 뼈였습니다.

"동물 뼈가 여기 왜 있어?"

"모르지. 근데 아까부터 누가 계속 쳐다보는 거 같지 않아?"

"너도 느꼈어? 나도 여기까지 오는 동안 뒤를 백 번은 돌아본 것 같아!"

동생도 등 뒤에 누군가 있는 것처럼 누군가의 시선이 계속 느껴졌다고 합니다. 이미 장난처럼 들떠 있던 모습은 온데간데없이 사라지고 온몸에 계속 소름이 끼쳐서 들어간 지 얼마 되지도 않았는데 벌써 등으로 식은땀이 흐르는 상태였다고 해요. 둘 다 귀신을 본다거나 기운을 잘 느끼는 편이 아니었는데도 전에 갔던 폐가와는 비교도 안 될 정도로 오싹한 공간이

었다고 합니다.

"여기는 진짜 뭐가 있을 것 같아요. 없는 게 이상한 공간인데요. 저희가 보지는 못하니까 EMF 측정기를 작동시켜 보겠습니다."

동생이 EMF 측정기를 꺼냈습니다. 초록부터 빨강까지 다섯 단계로 불이 들어오게 되어 있고, 정상일 경우는 초록에 불이, 전자기장이 셀수록 빨강 쪽에 가깝게 불이 들어오는 기계인데, 전원을 켜자마자 불이 빨강을 찍으며 널뛰었습니다.

"으아아! 진짜 뭐 있다니까?"

"우와! 탕 안쪽으로 갖다 댈수록 더 높아지네요!"

"안녕하세요! 거기 누구 계세요?"

갑자기 허공을 향해 인사한 동생이 안쪽으로 걸음을 옮겼습니다.

"탕 안쪽에 가서 녹음기 한번 켜 보자."

탕 안은 벽면이 온통 곰팡이로 가득 차 있고 타일도, 천장 자재도 마구 부서진 상태였습니다. 탕 쪽으로 걸음을 옮긴 둘은 플래시를 비춰 보다가 화들짝 놀랐습니다.

"으아악!"

푸드덕.

탕 안쪽에 플래시를 비춰 보던 둘이 발견한 것은 천장에 거꾸로 매달린 수십 개의 붉은 눈. 박쥐 떼의 눈이었습니다. 둘의 비명에 박쥐들이 날아다니자 기겁한 둘은 재빨리 탈의실로 다시 도망쳐 나왔습니다.

"와……. 개무섭네 진짜!"

"여러분, 박쥐 떼 본 적 있어요? 오늘 진짜 미쳤다……."

"하, 일단 녹음이 됐을라나. 한번 들어 보자."

그 와중에 동생은 녹음을 했던 모양입니다. 녹음기를 재생시켜 보니, 잡음이 잠시 들리고 두 녀석의 비명과 박쥐 날아다니는 소리, 그리고 둘이 도망쳐 나오는 와중에 희미한 소리가 섞여 있었습니다.

– 더 와…….

"뭐야? 다시 들어 봐."

"더 와? 더 오라고?"

희미하긴 했지만 분명 속삭이는 듯한 말소리가 녹음이 돼있는 겁니다. 둘은 누가 먼저랄 것도 없이 후다닥 남탕을 빠져나가 다시 로비에 와 있었습니다.

"와씨……. 분명히 들었지? 더 오라고!"

"보통은 나가라고 하지 않나? 다른 영상들 보면 그렇던데. 들어오라니까 더 무섭잖아, 하……."

"더 가면 어디지? 여탕인가?"

"그냥 돌아가자. 여기는 진짜 느낌이 안 좋아."

"아직 남탕 한 군데밖에 못 갔어. 우리 지금 라방 중이잖아."

"아……."

라이브 방송 중이라는 걸 순간 잊을 정도로 현우는 공포에 질렸던 것 같습니다. 댓글 창을 보니 '여탕 가자' '오라는데 가야지' 등 더 보고 싶다는 댓글이 다수였고, 접속자 수가 언제 늘었는지 100명에 가까울 정도로 많아져 어리둥절했다고 해요. 댓글이 막 올라오니 동생은 방금 그렇게 무서웠던 걸 어느새 잊었다고 합니다. 그때 현우 말을 들었어야 했는데, 동생은 현우를 끌고 여탕 쪽으로 향했습니다.

"야, 이쪽으로 와 봐."

여탕은 2층에 있었다고 해요. 계단을 올라 여탕 탈의실 안으로 발을 들이니 갑자기 카메라 포커스가 나가기 시작했습니다. 그리고 현우는 다시 고통을 호소했습니다.

"여기는 진짜……. 머리도 아프고 이제 속까지 메슥거려."

"나도 좀 어지럽네, 여기는."

꽤나 둔한 동생도 여탕 입구부터는 어지럼증을 느끼기 시작했다고 합니다. 그리고 탈의실에 들어선 순간부터 곰팡이 냄새 외에도, 이상하게 비릿하고 쿰쿰한 생선 썩은 내와 암모니아 냄새 같은 게 코를 찔렀다고 해요.

"와, 이게 무슨 냄새냐?"

"야……. 내 뒤에 뭐 있냐? 나 못 돌아보겠어."

현우의 말에, 동생이 현우 뒤를 플래시로 비췄지만 아무것도 보이지 않았답니다.

"없어, 아무것도. 무섭게 왜 그래! 하지 마."

현우의 상태가 점점 이상해지는 것 같았지만, 방송을 위해 동생은 탈의실의 캐비닛을 하나씩 열어 보기 시작했습니다. 그러다 위쪽에, 열쇠가 꽂힌 채 잠긴 캐비닛이 있어 열어 봤더니 뭔가 무거운 게 쿵 떨어졌는데

"으아악! 고양이가 왜 여깄어!"

플래시를 비춰 보니, 사지를 뒤틀고 발톱을 세운 채 죽은 고양이의 사체였습니다. 캐비닛 문 안쪽은 온통 고양이의 발톱 자국으로 너덜거렸습니다. 누군가 일부러 캐비닛에 고양이를 가둬 둔 게 분명했습니다.

"여긴 진짜 사악한 뭔가가 있다니까! 그냥 가자고!"

"아, 그래도 잠깐만! 지금 접속자도 많은데 이렇게 끝내라고? 탕 안쪽만 더 들어가 보자."

"야, 그만하자!"

현우의 만류에도 동생은 천천히 여탕 안으로 들어갔습니다. 남탕과 달리 여탕에는 온탕 같은 탕 안에 물이 고여 있었는데, 냄새의 원인은 거기에 있었습니다. 물은 빛을 비춰도 안이 보이지 않을 정도로 온통 녹색으로 썩어 있었고, 무슨 동물인지 형체도 알 수 없을 정도로 썩은 사체 덩어리가 떠 있었습

니다.

"와씨, 이 냄새였어. 봤어?"

동생이 뒤를 돌아봤지만, 현우는 탕 입구에서 멀찍이 떨어져 있었다고 합니다. 그리고 이렇게 말하더랍니다.

"난 안 갈래. 이제 죽고 싶어⋯⋯. 죽고 싶어졌어."

뜬금없이 죽고 싶다는 현우 말에 놀란 동생이 다가가 보니, 현우는 땀을 비 오듯 쏟으며 눈이 퀭한 채 맛이 간 것처럼 허공을 보고 있었다고 합니다. 안 되겠다 싶었던 동생은 현우에게 먼저 건물 밖으로 나가 있으라고 했습니다. 그때 같이 나갔으면 좋았을 텐데 자신은 뭔가 더 보여 주면서 방송을 마무리하고 싶어서 혼자서라도 가겠다고 욕심을 부렸답니다.

동생은 3층에 있는 찜질방으로 향했습니다. 계단을 오르는데 아래쪽에서 현우의 비명이 들렸다고 해요.

"쫄보가 나가면서 또 뭐 보고 놀랐나 봐요. 그래도 저는 3층으로 갑니다."

찜질방으로 들어선 동생은 그곳이야말로 진짜 오싹했다고 합니다. 일단 냄새부터, 여탕과는 비교할 수도 없이 코를 찌르는 악취가 풍겨서, 뭔가 또 죽어 있나 보다 싶을 정도였대요.

그리고 계속 머리카락을 잡아당기는 느낌부터 어깨에 뭔가 얹어져 있는 느낌까지 알 수 없는 이상한 느낌이 계속 들면서 소름이 계속 끼쳤다고 해요. 한여름에 손이 시릴 정도로요. 한 손에 핸드폰을 들고 있던 동생이 나중에는 앵글을 신경 쓸 수 없을 정도로 온몸을 계속 털어 댔고, 어디선가 자꾸 호흡 소리 같은 이상한 소리까지 들려와서 나중에는 방송을 잊을 정도로 신경이 곤두서 있었다고 합니다.

산처럼 쌓여 있는 쓰레기 더미를 헤치며 나아가던 동생이 찜질방 중 소금방의 문을 열어 안을 확인한 그 순간.

"저…… 저거 뭐야? 으아아아악!"

더 이상 버틸 수 없었던 동생은 방송이고 뭐고 그 자리에서 도망쳐 내려왔답니다. 그 소금방 안에는 코를 찌르는 악취의 원인이 있었습니다. 바로 담요를 덮은 채 누워 있는 백골 사체가 있었던 겁니다. 그곳은 정말로 사람이 죽은 곳이었어요.

미친 듯이 계단을 뛰어내려 간 동생은 건물을 빠져나가지 못하고 로비에 쓰러져 기절해 있는 현우를 발견했답니다. 동생은 현우에게 달려가 사정없이 깨워 거의 들쳐 업다시피 해서 건물 밖으로 나갔습니다.

"야, 너 왜 기절했어?"

"몰라, 나가는데 누가 발목을 잡고 넘어뜨렸어."

"발목? 하씨……."

"넌 왜 그래?"

"저기 찜질방에 배, 백골 사체……."

둘은 정신없이 차에 타서 건물로부터 멀어졌습니다. 그래

도 백골 사체를 발견한 이상 신고를 해야 해서, 정신을 차리고 경찰에 연락을 했습니다. 곧 도착한 경찰의 말로는 외부에서 들어온 노숙자 같다고 했답니다.

누군지는 모르지만 고인의 명복을 빌며 둘은 돌아왔습니다. 하지만 방송은 엉망이 된 채 끝이 나 버렸고, 둘은 이미 정신이 만신창이가 되어 더 이상 흉가 체험을 하고 싶은 마음이 사라졌다고 합니다. 얼마 후 채널도 닫아 버렸습니다.

이후로도 동생은 가끔 가위에 눌리곤 합니다. 어떤 공포 영화를 봐도 그때 그 폐사우나에서 느꼈던 오싹함과 공포에 비길 수는 없다고 하더라고요. 그렇게 겁 없던 동생이 그 한 번의 체험 이후로 완전히 다른 사람이 되어 버린 게 가족으로서 가슴이 많이 아픕니다. 정말 흉가 체험은 아무나 하는 게 아닙니다. 호기심에 한 번쯤 가 보고 싶은 마음이 든다면, 제발 다시 한번 생각해 주세요.

13. 저수지의 악몽

한때 나는 밤낚시 마니아였다.

굳이 왜 밤에 낚시를 하냐고 묻는다면…… 일단 한여름에는 붕어의 활동성이 높아지는 때가 밤이기 때문에 대물을 낚을 가능성도 밤에 높아진다. 그리고 가장 큰 이유는, 모두가 잠든 밤, 고요한 물가에 찌를 던져 놓고 케미*를 보고 있으면, 복잡했던 머릿속의 잡념이 싹 사라지면서 오로지 찌에만 집중하게 되기 때문이다. 나에겐 그것이 바로 힐링이었다. 그 적막함 속에서 머리를 비우며 집중하다가 기다리던 끝에 찌가 서서히 올라오는 게 보이면 그때부터 기대와 긴장, 흥분으로

* 케미라이트 : 야간에 찌의 움직임을 볼 수 있도록 찌톱 끝에 다는 작은 형광봉.

심장이 두근두근 뛰기 시작하는데 그때의 느낌은 정말 뭐라 말로 표현할 길이 없을 정도다. 이 말이 무슨 말인지는 밤낚시를 해 본 사람만이 이해할 수 있을 것이다. 밤낚시의 중독성은 바로 그 환상적인 손맛 때문이라고 해도 과언이 아닐 테니까.

그런데 이 모든 것은 과거형이다. 아직도 낚시는 종종 하러 가지만, 그렇게 좋아하던 밤낚시를 완전히 접게 되어 버린 사건이 있었기 때문이다. 2021년 여름, 군포에 있는 ○○저수지로 오랜만에 밤낚시를 나갔다. 혼자 갈 때도 가끔 있지만 아무래도 밤낚시는 야간에 외지에서, 그것도 물가에서 하는 거라 위험할 수 있기 때문에 가급적이면 혼자 가지 않는 것이 좋다. 다행히 내가 사는 동네에 낚시 좋아하는 형님이 있어 시간이 맞으면 종종 같이 나가곤 했다.

"형님, 오늘 손맛 좀 보시죠!"

그날도 형님과 함께 저수지로 향했다. 도착하니 저녁 8시가 다 되어 있었지만, 여름이라 해가 길어 주위가 아직 완전히 어두워지지 않았다. 뉘엿뉘엿 해가 지는 노을을 배경으로 형님과 나는 적당한 낚시 포인트를 찾아 서둘러 텐트를 치고 낚시 장비들을 꺼냈다.

"자, 빨리 시작해 보자고."

본격적으로 낚시를 위한 세팅을 하고 있을 때였다. 저 멀리 저수지 수면 위로 동그란 검은색 물체가 슬며시 떠오르는 것이 보였다. 거리가 꽤 있어서 뭔지 자세히 보이진 않았지만, 저수지 아래서 올라올 게 대체 뭐란 말인가?

"형님, 저거 좀 봐요!"

미끼를 끼우느라 정신없는 형님에게 재차 보라고 하자 그제야 형님이 저수지로 고개를 돌렸다. 하지만 그것은 이미 사라져 보이지 않았다.

"어디에 뭐가 있다는 거여."

"형님이 늦게 봐서 그렇지. 시커먼 게 떠올랐는데."

"대어가 있나 보구먼. 어여 자리 잡고 앉아."

형님은 대수롭지 않게 넘겼고, 나는 뭔가 좀 꺼림칙하긴 했지만 혼자 스치듯 본 터라 잘못 봤겠거니 하고 그냥 넘어갈 수밖에 없었다. 낚시 의자에 자리를 잡고 5분쯤 앉아 있었을까. 갑자기 물비린내가 심해지며 코를 훅 덮쳤다. 그리고 낚싯대 주변으로 검은 수초 같은 것이 어슴푸레 떠다니는 게 보였다.

'저게 뭐지? 수초인가?'

내 눈에만 보이는 건지 형님은 별 반응이 없었다. 꺼림칙한 기분은 계속됐고 수초에 걸리면 낭패라는 생각에 자세히 보려는데, 그러기도 전에 내 낚싯대에 입질이 왔다.

"어어! 왔다!"

재빨리 낚아채 낚시 휠을 돌렸다. 꽤나 큰 놈인지 힘겨루기를 하던 끝에 낚아 올린 녀석은 30cm가 넘는 붕어였다.

"이야~. 월척이다, 월척!"

첫 입질에 월척을 낚으니 방금 전의 꺼림칙한 기분은 온데 간데없이 사라졌다. 살이 통통하게 올라 펄떡대는 붕어를 보며 나도 형님도 기대에 부풀기 시작했다.

어느새 해는 완전히 지고 주위는 어둠으로 둘러싸였다. 우리는 램프에 의존한 채 밤낚시를 이어 갔다. 그러나 형님과 나의 분위기는 극명하게 갈리고 있었다. 채 1시간이 안 되는 동안 나는 입질이 벌써 세 번이나 더 와 총 4마리를 낚은 데 반해, 형님에게는 입질조차 한 번 오지 않는 것이었다.

"야, 이거 귀신이 곡할 노릇이구먼. 커피나 마셔야 쓰겠다."

아쉬움을 감추지 못한 형님이 준비해 온 아이스박스를 열어 뒤적이고 있을 때였다. 내 낚싯대에 다시 한번 입질이 왔다. 형님은 또 너냐며 툴툴거렸지만, 나는 신이 나서 얼른 낚싯대를 잡아 휠을 돌렸다.

그런데 낚싯대에서 느껴지는 무게감이 남달랐다. 앞서 낚았던 녀석들과는 비교할 수도 없이 무거운 것이, 무슨 돌덩이가 매달렸나 싶을 정도였다. 낚싯대가 부러질 듯 휘어졌다. 더 이상 힘을 주면 안 될 것 같았다. 어디에 걸린 건가 싶어 휠을 슬슬 풀어 보고 있을 때였다. 찌 옆으로 둥그스름한 뭔가가 떠오르고 있었다.

"얼래? 저것이 뭐여?"

내가 낚싯대를 붙잡고 씨름하는 걸 지켜보던 형님도 이번에는 그것을 본 모양이었다. 수면 위가 어두워 자세히 보이지는 않았지만 둥글고 검은 것이 아까 내가 본 것과 같아 보였다. 그런데

"허억!"

그것의 정체는 사람의 머리였다. 수면 위로 점점 떠오르더니 안광이 번득이는 두 눈과 희멀건 얼굴이 드러났다. 그런데 더 소름 끼치는 것은 그것이 계속, 끝도 없이 떠오르고 있었다. 성별을 알 수는 없었지만 머리가 긴 것으로 보아 여자 같았는데, 물속이 아닌 것처럼 몸이 계속 떠오르는 게 아닌가! 둘 다 얼음처럼 굳은 채 그 광경을 보고 있는데 키가 무려 2m도 넘을 것 같았다.

"수…… 수귀다!"

야밤에 저수지에서 보는 물귀신이라니. 어떻게 봐도 사람은 아닌 게 분명했다. 1년 넘게 밤낚시를 다녔지만 수귀를 본 건 처음이었다. 어쩐지 아까 꺼림칙한 기분이 들었을 때 그 감을 믿었어야 했는데.

그런데 갑자기 형님이 내 어깨를 확 잡아채는 것이었다. 깜짝 놀라 돌아보니 형님이 기겁한 표정으로 나를 보고 있었다.

"뭣허는 거여! 이 사람아, 정신 차려!"

발이 차가웠다. 내려다보니 내 정강이 중간까지 저수지 물에 잠겨 있었다. 대체 언제 들어간 것일까?

"얼른 뛰어!"

형님이 나를 물 밖으로 끌어당겼다. 그러는 동안 그 커다란 것은 모습을 거의 드러내고 있었다. 그러자 아까처럼 지독한 물비린내가 훅 끼쳐 왔다. 우리는 낚싯대고 텐트고 잡은 물고기마저 모두 버려둔 채 미친 듯이 차를 향해 달렸다. 우리가 달리는 만큼 물비린내도 점점 뒤쫓아 오는 것 같았다.

약속이나 한 듯이 형님이 운전석으로, 나는 조수석으로 뛰어들었다. 형님은 다급히 시동을 걸고 차를 출발시켰다. 일단 그 주변을 벗어나는 게 우선이었기 때문에 무작정 달리다가 뒤늦게 내비게이션을 켰다. 목적지를 집으로 하자 곧 내비게이션의 안내 음성이 들렸다. 그제야 우리는 한숨을 돌릴 수 있었다. 한여름이었음에도 둘 다 팔뚝에 소름이 잔뜩 돋아 있었다.

아무리 생각해도 언제 저수지로 들어갔는지 알 수가 없었다. 신발 안까지 온통 축축해 발을 내려다봤는데 운동화에 시커먼 수초가 엉켜 있었다. 기분 나쁘고 찜찜해서 빨리 떼어 버리고 싶어 손으로 수초를 잡는 순간, 나도 모르게 소리를 질렀다.

"으아악!"

"왜! 왜!"

운전하던 형님까지 깜짝 놀라 차선을 이탈할 뻔했다. 그것은 수초가 아니라 사람의 머리카락이었다. 온몸의 털이 곤두설 정도로 소름이 끼쳤지만 그것을 그대로 둘 수는 없었다. 나는 미친 듯이 그것을 잡아떼 봤지만 어찌나 단단히 엉겨 붙었는지 잘 떨어지지도 않았다. 결국 나는 신발 째로 벗어서 창문 밖으로 던져 버렸다.

"하아……."

이게 대체 무슨 일인지. 나이 들어 잘 나지도 않는 눈물이 핑 돌았다.

그런데 그게 끝이 아니었던 모양이다. 도로에 차도 거의 없었는데, 갑자기 내비게이션이 새 경로를 탐색한다더니 먹통이 되었다. 둘 다 잠시 의아했지만 갈림길도 없었기에 우리는 길을 따라 계속 달렸다. 곧 내비는 새 경로를 찾아 다시 길을 안내하기 시작했는데 원래 안내하던 길과 다른 길을 안내했다. 우리는 별 의심 없이 내비게이션의 안내에 따라 달렸고, 꺼림칙한 분위기를 전환하기 위해 라디오를 켰다. 잔잔한 음악이 흘러나오자 조금이나마 안심하고 있었는데, 얼마 지나지 않았을 때였다.

치이이이이이이익.

갑자기 노래가 꺼지고 라디오 주파수가 안 맞을 때 나는 소음이 흘러나왔다. 볼륨까지 요동쳤다. 나는 재빨리 라디오를 껐다. 차 안의 공기가 순식간에 얼어붙은 것 같았다. 주변을 둘러봤는데 뭔가 이상했다. 꽤 달린 것 같은데 길이 어딘가 낯익은 느낌이었다. 집 근처에 도착하려면 아직 멀었는데 말이다.

"형님, 여기 왔던 길 아니에요?"

"설마, 그럴 리가."

그때 갑자기 내비게이션의 음성이 튀어나왔다.

"길 안내를 종료합니다."

"어?"

황당해서 차를 멈춰 세우고 헤드라이트에 의존해 어두운 주위를 둘러보았다. 그 순간, 우리는 두 눈을 의심할 수밖에 없었다. 우리가 와 있는 곳은 방금 출발했었던 그곳, ○○저수지 입구였다.

"으아아아악!"

"빨리, 빨리 차 돌려!"

우리는 비명을 지르며 다시 차를 출발시켰다. 저수지 쪽을 힐끔 보니 기다란 그것이 아직도 수면 위에서 흐느적거리고 있는 것 같았다. 정말이지 이 모든 게 악몽이 아닐까 싶었다. 이번에는 내비게이션을 켜지 않고 이정표에 의존해서 저수지

와 멀어지는 방향의 길로 밤새 달렸다. 우리가 사는 곳은 그 저수지에서 한 시간 정도밖에 안 걸리는 곳이었는데 말이다.

정신없이 달리다 해가 떠오를 때쯤 되자 드디어 우리 지역으로 가는 이정표가 나타났다. 그제야 마음이 놓인 우리는 기진맥진한 채 갓길에 차를 세우고 시트에 쓰러지듯 몸을 묻었다. 도저히 집까지 갈 힘이 남아 있지 않았으니까.

그 이후로 나는 물론이고 형님까지도 밤낚시를 일절 끊고 말았다. 아무리 밤낚시가 좋아도 그런 일을 겪고 나니 도저히 다시 도전할 엄두가 나지 않았다. 나중에 알고 보니 낚시꾼들 사이에서는 그 저수지가 귀신이 나오기로 유명한 저수지였다. 예전에도 낚시꾼들이 물귀신을 종종 본다는 소문은 들었지만 믿지 않았었는데, 내 눈으로 직접 보고 겪으니 더 이상 부정할 수가 없었다. 그때 우리는 진짜 수귀에 홀렸던 게 아닐까.

낚시 좋아하는 사람, 물가를 좋아하거나 가까이 있는 사람 모두 조심하시길. 혼자서는 절대 물가에 가지 말고 밤이 되면 더욱 가지 마시길. 몸이 허약할 때도 마음이 우울할 때도 절대 물가에는 혼자서 가까이 가지 마시길 당부드린다.

해와 괴담

14. 아소보

그저 운이 나빴던 거라고 생각하지는 않네. 일본에 간 것
도, 그 집에 들어간 것도, 그것을 처음 봤을 때 바로 짐을 빼지
않은 것도. 분명히 하나님의 깊은 뜻이 계셨을 테지. 그게 어
떤 뜻이었는지는 아직도 잘 모르겠지만. 나와 내 아내는 독실
한 기독교 신자로, 원래 귀신이나 미신의 존재를 믿지 않던 사
람들이었네. 한때는 그랬지. 그 일을 직접 겪기 전까지는 그랬
어. 하지만 지금은 모르겠네, 무엇을 믿어야 할지. 귀신이 있
다면 신도 분명히 있는 것 아니겠는가? 그런데 하나님께서 신
실한 내게 어찌 그리 가혹한 시련을 주셨는지 정말 모를 일이
야.

한때 도쿄의 미나토구에서 살았던 적이 있었지. 미나토구

를 아는지 모르겠지만 그곳에는 도쿄의 상징인 도쿄타워도 있고 서울의 강남, 한남동처럼 부자들이 모여 사는 동네가 있다네. 5성급 호텔도 많고 최고급 맨션과 주거 시설도 많아서 화려하고 세련되기로 일본에서 손꼽히는 도시지. 하지만 내게 그곳은 인생에서 지우고 싶을 만큼 소름 끼치는 일을 겪은 곳일 뿐이야. 아니, 정확하게는 미나토구에 있는 그 집이 그렇군. 폐가도 아니고 외딴 시골도 아닌, 미나토구 한복판에 있는 고급 맨션. 거기서 귀신을 보게 될 줄은 상상도 못 했다네.

나는 한국과 중국에서 제법 크게 사업을 하고 있었지. 그러던 중에, 좋은 기회가 생겨서 일본으로 사업을 확장하게 됐다네. 우리 부부는 사업이 자리를 잡는 몇 년간 일본을 오가며 살기로 했어. 조금 무리하긴 했지만 본사를 미나토구에 두기로 결정했고 우리 부부가 살 집도 가까운 곳에 마련하기로 했지. 왜 무리를 하면서까지 그곳으로 결정했느냐, 세계에서 난다 긴다 하는 기업들이 미나토구에 많이 있었으니까. 내 회사도 그들과 어깨를 나란히 하는 기업으로 키워내겠다는 포부를 담은 거지. 난 꿈은 크게 가지자는 주의일세.

자식들을 다 키우고 아내와 둘이서만 살면 되는 집이었기에 큰 평수를 원하진 않았어. 하지만 최고급이길 원했지. 마침 그쪽의 부동산 업자가 딱 맞는 집이 있다며 소개해 주었네. 급

매물이라 시세보다 가격이 훨씬 저렴하고 임대도 가능하다고 말이야.

그곳은 고급 맨션들이 즐비한 거리에 있는 20층짜리 맨션, 그중 18층에 있는 집이었네. 먼저 일본에 넘어와 있던 나는 그 집을 보자마자 계약을 하겠다고 결심했지. 풀 옵션에 새로 인테리어까지 되어 있던 그 집은 모든 게 최고급이었고 상태도 매우 양호했어. 그리고 거실 중앙에 꽤 비싸 보이는 커다란 그림이 한 점 걸려 있었지. 이런 집이 시세보다 40퍼센트나 저렴하게 나왔다니, 그 자리에서 그 집을 살 뻔했지 뭔가. 하지만 사업가의 촉이랄까. 그렇게 싸게 나온 데에는 뭔가 이유가 있겠지 하는 의심을 품고 일단은 매매가 아닌 임대 계약을 했지. 살아봤는데 문제가 없다면 그때 사면 되니까. 지금 생각하면 그 결정이 얼마나 다행이었는지 몰라.

어쨌든 곧바로 들어와 살아도 충분한 집이었기에 아내를 불러들였지. 아내도 집을 무척 마음에 들어했다네. 괜찮은 도우미도 구했고 새집에 필요한 것은 아내가 도맡았기에, 나는 사업 확장에 전념할 수 있었지. 처음 일주일은 무탈하게 지나갔네. 그런데 일주일 후부터 갑자기 물건이 한두 개씩 사라지기 시작하는 거야. 처음에는 과일이나 과자 같은 사소한 것들이라 없어지는지도 몰랐지만, 점점 작은 장식품부터 아내의 보석까지 누군가 손을 대기 시작했네.

나와 아내는 분명 도우미의 짓일 거라고 생각했어. 하지만 도우미는 절대 자신이 그런 게 아니라면서 일을 그만두겠다고 하는 거야. 그리고 한마디를 덧붙였지. 이 집에 뭔가 있다고, 그게 가져간 거라고. 하지만 그 말을 어떻게 믿을 수 있겠나. 나는 그 도우미를 경찰에 신고하고, 새 도우미를 들이기로 했지. 처음으로 그 집에 하루 종일 우리 부부만 있던 휴일이었네. 점심을 먹은 후라 소파에서 깜박 잠이 들었지. 얼마나 지났을까. 소파 밑에서 뭔가 시선이 느껴지더군. 눈을 돌려 보니 선홍색 기모노를 입은 일고여덟쯤 된 웬 여자아이가 소파 밑에서 사과 하나를 우적우적 먹으며 나를 쳐다보고 있는 게 아닌가. 깜짝 놀란 나는 아이에게 물었지.

"너 누구니? 여기 어떻게 들어왔어?"

나름 상냥하게 물었지만 답이 없더군. 간단한 일본어는 할 줄 알았기에 일본어로 다시 물어봤지. 하지만 아이는 내 물음에 대답하지 않고 이 말만 했어.

"아소보(遊ぼう: 놀자)."

왜 그랬는지 모르지만 그때는 내 물음이 그리 중요하지 않다고 여겨졌었네. 그저 이 귀여운 아이와 놀아 주고 싶은 마음뿐이었어.

"그래, 뭐 하고 놀아 줄까?"

"오리가미(折紙: 새나 꽃 등 여러 가지 모양을 만들어내는 종이접기

놀이)."

그러면서 아이는 정사각형 색종이 몇 장을 내밀더군. 종이 접기를 해 본 지가 언제인지 기억이 가물가물했지만 손끝이 기억하는 대로 접다 보니 금세 종이학 몇 개가 만들어졌지.

"옜다."

박수까지 치며 좋아하던 아이는 종이학을 손에 꼭 쥐고는 다음에 또 놀아 달라고 말하더군. 나는 흔쾌히 그래 주마 했지. 그랬더니 새끼손가락을 내밀면서 약속해 달라고 하는 거야. 나는 웃으며 새끼손가락을 걸어 약속해 줬네.

그리고 나는 번쩍 눈을 떴어. 꿈이었던 거지. 어쩐지 아이가 어떻게 내 집에 들어왔는지 궁금하지가 않더라니.

잠에서 깨고 나니 몸이 으스스한 게 한기가 돌더군. 옷을 더 걸치러 일어나는 찰나, 머리맡에 놓인 걸 보게 됐지. 그건 종이학이었네. 꿈에서 내가 아이에게 접어 줬던 종이학 중 하나였어.

"이게 왜 여기에……."

분명히 꿈에서 접었던 게 왜 여기에 실존해서 놓여 있는 걸까? 머리털이 쭈뼛 서는 기분이었네. 나는 잠시 밖에 나갔던 아내가 돌아올 때까지 그 종이학에 손도 대지 못했어.

돌아온 아내가 웬 종이학이냐 묻기에 꿈 이야기를 해 줬지.

그랬더니 아내도 엊그제 꿈에서 같은 아이를 봤다는 거야. 그때도 아이가 놀자고 했다면서.

"그래서? 당신도 종이접기 해 줬어?"

"아니요. 오테다마(お手玉)라고 하던데. 공기놀이 비슷한 거였어요. 어릴 때 생각도 나고 해서 같이 놀아 줬는데, 꿈에서 깼을 때 아무것도 없었어요. 난 그래서 그냥 꿈인가 보다 했는데."

그냥 꿈이라고 넘기기에는 아무래도 뭔가 이상했어. 그 종이학이 있다는 게 특히 그렇지 않나. 갑자기 이 집에 뭔가 있다는 도우미의 말이 생각나더군. 하지만 실제로 본 게 없는데 별수 있나. 그냥 그렇게 넘어갔지.

사업은 내가 우려하던 것보다 문제없이 잘 진행되었어. 하지만 문제는 집이었네. 새 도우미가 오고 나서도 자잘한 물건들은 계속 사라졌고, 열흘도 되지 않아 새 도우미마저 일을 그만두겠다는 거야. 그렇게 도우미들은 2주를 못 넘기고 계속 그만뒀고, 도우미 업체에서는 더 이상 우리 집에 보내 줄 도우미가 없다고 하더군. 도우미들 사이에서 우리 집에 귀신 나온다는 소문이 났다고 말이야. 어이가 없어서 노발대발하고는 다른 업체를 알아보기로 했네. 그리고 며칠간은 집에 우리 부부만 있기로 했어. 그리고 머지않아 내 눈앞에 나타났네. 일을 마치고 집에 들어와서도 고민이 많은 밤이었지. 기존의 제품

생산 방식이 일본의 기준에 맞지 않다는 걸 뒤늦게 알았거든. 사실 기준보다는 정치적인 문제였지만.

서재에 앉아 해결 방법을 고민하던 때였어. 갑자기 오싹하니 한기가 돌더니 옆에서 잘그락잘그락 소리가 나는 거야. 나도 모르게 쳐다봤지. 내 눈앞에 그 아이가 서 있었네. 꿈속에서 봤던 그 아이가! 하지만 아이의 모습은 꿈에서 본 것처럼 귀엽지 않았네. 핏기 하나 없는 창백한 얼굴에 눈이 퀭한 게 정말 귀신 같았어.

"아소보(놀자)."

"너…… 너 뭐야! 정말 귀신이야?"

"…… 約束した。遊ぼう。(약속했잖아. 놀자.)"

그러더니 맞잡은 두 손을 계속 흔드는 거야. 손안에 뭐가 들었는지 잘그락 소리는 점점 커져서 귀가 울릴 지경이었지. 그러면서 아이는 점점 나를 노려보며 다가왔어. 부끄럽지만 얼마나 겁이 나던지. 떨려 오는 손을 들키지 않으려고 주먹까지 쥐었네. 하지만 무슨 용기에선지 나는 이렇게 물었어.

"놀아 주면 넌 내게 뭘 해 줄 거니?"

멈칫하던 아이는 잠시 고민하다 이렇게 말했네.

"あなたの仕事を助けます。(너의 일을 도와줄게.)"

뭘 도와주겠다는 건지는 모르겠지만, 더 이상 긴 대화는 어렵고 무섭기도 해서 일단 놀아 주고 치우자는 생각이었네.

"그래, 이번엔 뭘 하고 놀까?"

"오하지키(おはじき: 구슬치기의 일종인 일본 여자아이들의 놀이)."
그렇게 말하며 맞잡은 두 손을 펼치는데, 손안에는 구슬이 아
닌 아내의 반지와 장신구들이 들어 있는 게 아닌가.

"그건 내 아내의 물건이야."

"キラキラ。きれいです。私のもの。(반짝반짝. 예쁘네. 내 꺼.)"

"……돌려주면 놀아 주마."

"……すべて遊ぶと返す。(다 놀면 돌려줄게.)"

한 치의 양보도 없더군. 귀신을 떠나 대단한 협상가가 아닌가.
아내가 봤다면 길길이 날뛰었겠지만 결국 나는 아내의 장신
구를 가지고 구슬치기를 하며 놀아 주었지. 한참 놀던 아이는
성에 찼는지 내가 잠깐 한눈판 사이에 사라졌어. 나중에 또 놀
아 달라는 말과 장신구들을 남기고 말이야. 약속은 칼같이 지
키는 아이더군.

그다음 날부터 정말 신기하게도 사업적으로 막혀 있던 문
제들이 술술 풀리기 시작했네. 그간의 내 고민이 무색할 정도
로 말이야. 그런 일이 몇 번 반복되자, 나는 사업적인 문제가
생길 때마다 아이가 나타나길 기다릴 정도였지. 귀신이면 어
떤가, 해를 끼치지도 않고 놀아 주기만 하면 행운이 따라오는
데. 귀신에 홀렸던 건지 그때는 그렇게 생각했었지. 말도 안

되는 착각이었는데 말이야.

'놀아 주면 일을 도와줄게.' 이건 우리 사이의 약속 같은 게 되어 버렸어. 아이는 점점 자주 나타났고, 나도 그 아이가 귀신임을 잊을 정도로 익숙해져 버렸네. 익숙함은 늘 오만함을 낳지. 일은 점점 바빠졌고 집에 돌아와서도 신경 써야 할 일들이 많아진 어느 날, 또 놀아 달라며 나타난 아이에게 다음에 놀아 주겠다며 귀찮다는 듯이 대하고 말았지. 아이가 몇 번을 말했지만 난 쳐다보지도 않고 다음에 놀자고 했어.

그때 갑자기 방 안에 광풍이 일면서 책상에 쌓여 있던 서류가 날아다니는 게 아닌가. 대체 무슨 일인가 봤더니, 아이가 미친 듯이 뛰어다니며 고함을 치는 거야.

"아소보! 아소보! 아소보! 아소보오오오오!"

그냥 뛰어다니는 게 아니라, 광풍을 일으키면서 벽이고 천장이고 평지 뛰듯이 뛰어다니는데, 그 광경을 보는 순간 아차 싶었네. 내가 미쳤지, 이 아이는 귀신이라는 걸 왜 잊고 있었던 걸까.

놀라서 입이 붙어버렸나? 아무 소리도 못 내고 있는데, 천장에서 달리던 아이가 내 어깨로 떨어져 목말을 타더니.

"嘘つき! 嘘つき!(거짓말쟁이!)"

이렇게 외치면서 양손으로 내 눈과 입을 찢을 듯이 움켜쥐는 거야, 정말 찢어 버리겠다는 듯이. 아이라고 생각할 수 없

을 정도로 엄청난 힘이었네. 아이의 손가락이 눈 속으로 파고
드는 순간 다급히 외쳤네.

"놀자! 놀자! 놀아 줄게!"

"嘘つきとは遊ばない! (거짓말쟁이랑은 안 놀아!)"

눈에서 피가 흐르는 게 느껴지는 순간 비명을 질렀고, 마침
달려온 아내가 기도문을 외우면서 아이를 성경책으로 내려쳤
다더군. 그렇게 성경책으로 몇 대 더 맞은 아이는 어느 순간
사라졌고 나는 쓰러졌지.

쿵.

정신을 차려 보니 병원이었고 다행히 시력을 잃지는 않았
지만 회복하기까지 몇 달을 고생했다네. 그리고 더 충격적이
었던 것은 그렇게 잘나가던 내 일본 본사가 회복이 불가능할
만큼 급속도로 망해 가고 있었다는 거지. 지금까지 승승장구
했던 게 모두 그 아이 귀신의 장난이었던 것처럼 말이야.

결국 일본 본사는 문을 닫고 말았네. 크나큰 손실을 입었는
데, 더 큰 문제는 한국과 중국의 본사까지 영향을 미치는 느낌
이 드는 거야. 매년 잘 진행되던 계약이 갑자기 엎어진다든지
말이야. 나는 그 집을 빼기로 결정하고는, 어디에 있을지 모르
는 아이를 향해 빌고 또 빌었어. 나는 곧 떠난다. 떠나기 전에
놀아 줄 테니 한 번만 찾아와달라고. 정말 진심을 다해 빌고

또 빌었지.

아이는 끝내 내 앞에 나타나지 않았어. 하지만 내 진심이 통했던 걸까. 그날 밤 꿈에 아이가 나타났네. 처음 꿈에 나타났을 때와 똑같은 모습으로.

"아소보."

"그래그래, 와 줘서 고맙다. 아가, 뭐 하고 놀까?"

"가쿠렌보(かくれんぼ: 숨바꼭질)."

그 말을 남기고 아이는 거실에 걸려 있던 그림 속으로 사라졌고, 나는 잠에서 깨어났네. 아침이었지. 눈을 뜨자마자 아이를 찾기 시작했지만, 집 어디에도 아이는 보이지 않았네.

곧 이삿짐센터에서 짐을 빼기 시작했고, 나는 마지막으로 다시 한번 집을 돌아보며 아이가 있을 만한 곳을 둘러보고 있었어. 그러다 꿈에서 아이가 사라졌던, 거실의 그림을 살펴봤지. 그림 어디에도 사람이 있거나 달라진 것은 없었어. 정말 혹시나 하는 마음에 그림 액자를 들춰 봤지. 그런데 액자 뒤벽에 작은 금고만 한 공간이 있더군. 서둘러 액자를 떼어 보니 세상에.

금고가 있었을 법한 공간에 작은 유골함 하나가 있는 거야. 그건 분명 그 아이의 유골함이었겠지. 일본에서는 집에 유골함을 두는 문화도 있다고는 하지만, 왜 가족이 떠난 빈집에 아이의 유골함만 버려진 듯이 남아 있었던 걸까. 그 아이는 살아서도 죽어서도 가족의 관심을 받지 못한 채 방치됐던 것은 아닐까 싶었네. 그렇게 생각하니 아이에게 남아 있던 일말의 원망도 사라지는 것 같더군. 아이에게 무슨 죄가 있겠나.

나는 비서에게 사후 처리를 맡기고 아이의 명복을 빌며 그 집을 빠져나왔네. 이후 한국과 중국에서의 사업은 다시 안정권에 들어섰지. 정말 그 아이의 영향이었나 싶을 정도로 기가 막힌 노릇이었어.

이 일이 있은 후로 나는 귀신의 존재를 부정하지 못하네. 함부로 대해서도 안 된다고 생각하지. 다시 보고 싶은 마음은 없지만 말이야. 무슨 생각으로 그 아이와 거래를 했는지. 그들의 힘에 기대거나 그들과 거래하는 일 따위는 결코 내 인생에 두 번 다시 없을 걸세. 아이 귀신이 아니라 악마와의 거래였다면 어땠겠나. 악마와의 거래에 끝이 좋았던 경우가 있던가? 아, 이 깨달음이 바로 하나님의 깊은 뜻이었던 걸까?

15. 푸껫 채식주의자 축제

일 년에 한 번, 태국의 푸껫에서는 음력 9월의 첫날부터 9일 동안 '낀쩨(กินเจ, 채식주의)'라 불리는 채식주의자 축제가 열립니다.

'채식주의자를 위한 축제인가?'

이렇게 생각하셨다면, 반은 맞고 반은 틀렸습니다. 이 축제의 가장 중요한 규칙 중 하나로 축제 기간 동안 '육식을 금한다.'는 조항이 있으니 반은 맞는 거죠. 육식은 금하지만 그렇다고 축제에서 음식이 빠질 수 없듯이, 이 기간에는 육류를 대신하는 채식 위주의 튀김부터 수많은 음식을 진열한 가판들이 축제 행렬이 지나는 길거리 옆을 가득 메웁니다.

그렇지만 반은 틀린 이유, 그것은 이 축제가 채식주의자를 위한 것이 아니라 중국계 태국인들의 전통적인 샤머니즘 축제이기 때문인데요. 축제의 기원 같은 것은 검색해 보면 많이 나올 테니까 축제의 의미만 간단히 말하자면, 9일간 흰옷을 입고 중국의 도교에서 비롯한 아홉 신에게 제사를 지내면서 채식만을 하는 금욕 생활과 고행을 함으로써 몸과 마음을 정화하고 행운을 비는 행사라고 합니다. 여기서 말하는 '금욕 생활'에는 10가지 정도의 규칙이 있더라고요. 육식 금지를 시작으로, 몸을 정결히 하기, 흰옷 입기, 금주, 심신을 바르게 하기 등 다양한 규칙이 있는데요. 상중인 사람, 생리 중인 여성, 임산부는 이 축제에 참가해서는 안 된다고 해요. 이유는 모르겠지만, 행렬을 보고 나니 이해가 가는 항목도 있더군요.

사실 저도 직접 가 보기 전까지는 이런 축제가 있는지 몰랐기 때문에, 규칙은 물론 축제의 특성도 모른 채 길거리에서 우연히 이 축제 행렬을 맞닥뜨렸어요. 그래서 아무런 마음의 준비도 없이 굉장히 당혹스럽고 끔찍한 광경을 목격했고, 그걸 시작으로 다시 생각해도 등골이 서늘해지는 일까지 겪고 말았죠. 정말 최악의 신혼여행이었습니다.

네, 저는 푸껫으로 신혼여행을 간 거랍니다. 결혼하고 한 달 만에 겨우 간 신혼여행에서 그런 끔찍한 일을 겪다니 그때는 충격이 이만저만 아니었는데요. 6년이 지난 지금은 말할 수 있을 것 같습니다. 결혼 후에도 일 때문에 바로 허니문을 떠나지 못했던 저희 부부는 여행지에 대한 의견만은 일치했어요.

'빡빡한 여행은 싫다. 신혼여행은 무조건 휴양지로 가자.'

그래서 여러 고민 끝에 휴양지로 유명한 태국 푸껫으로 떠났습니다. 바다도 실컷 보고 호캉스도 즐기다가, 5일째 되는 날은 시내 길거리 구경을 가기로 했죠.

아침을 먹고 나와 거리에 도착해 슬슬 걷고 있는데, 어느 구역에서인가부터 길거리에 사람들이 꽤 많이 모여 있었어요. 폭죽 터트리는 소리도 나길래 저희도 뭔가 하고 구경을 간 거죠.

"자기야, 저기 좀 봐. 멋지다……. 우리도 가 보자."

어떤 사원 안에서 무슨 행사를 하는 건지 폭죽도 터지고 시끌벅적 악기 소리도 들리면서 웃통을 벗은 남자(알고 보니 승려)가 뭔가 의식을 하고 있었어요. 잠시 구경을 하다가 다시 길거리로 나왔죠.

"우왕, 완전 신기해."

길거리 양옆에는 노란 깃발을 단 가게들이 엄청 많은 음식을 진열해 놓고 있었는데 전부 채식이라고 해서 놀랐어요. 비주얼은 전혀 그렇게 보이지 않았거든요. 이것저것 음식 구경을 하다가 곧 시작된 행진 행렬로 눈을 돌릴 수밖에 없었습니다. 마치 총포가 터지듯이 엄청난 소리의 폭죽이 연속으로 터졌으니까요.

쿠콰콰꽝.

폭죽의 여파로 거리에 연기가 자욱해졌어요. 자세히 보니까 가마 같은 것을 사람들이 이고 가는데 그 가마에서 터지는 폭죽이었어요. 사람을 태운 게 아니라 폭죽을 실은 가마였던 거죠. 그 가마꾼들은 터지는 폭죽을 온몸으로 맞으며 걷고 있었습니다.

"이게 무슨 상황이지?"

"저 사람들 너무 위험한 거 아니야?"

저희 부부는 둘 다 어리둥절해서 주변을 둘러봤는데, 현지인 중에는 아무도 저 위험한 광경을 걱정스럽게 보는 사람이 없는 거예요. 그런데 잠시 후 경악을 금치 못할 광경이 나타났습니다.

승려들의 행렬 중에 양 볼에 피어싱을 한 사람들이 나타나기 시작했는데, 그냥 피어싱이 아니었어요. 뭔가 장식품이 달린 기다란 쇠꼬챙이로 한쪽 볼을 꿰어 입으로 나오도록 뚫었는데 그걸 양쪽 볼에, 하나도 아니고 여럿을 달고 나오는 거예요. 그런 사람들이 줄을 지어 나오는데, 볼을 꿴 물건도 쇠꼬챙이뿐 아니라 식물 줄기, 창, 칼, 심지어 총, 연장을 꽂은 사람도 봤고요. 시뻘겋게 달궈진 숫돌 위를 걷는 사람도 있었습니다. 이건 뭐 보고 있는 눈을 믿을 수가 없어서 말이 안 나올 지경이었습니다.

"으……."

게다가 이 사람들, 이 행렬을 위해 그 자리에서 바로 살을 뚫어서 저것들을 달고 나오는 것이었습니다. 피를 줄줄 흘리는 사람도 많았고, 도중에 쓰러지는 사람도 있었어요. 만약을 위해서인지 길옆에 앰뷸런스까지 대기하고 있더군요. 먹었던 음식들이 죄다 올라올 정도로 끔찍한 광경이었습니다.

"우욱."

앞서도 말씀드렸지만, 이 의식은 아홉 신에게 제사를 지내면서 금욕 생활과 고행을 함으로써 몸과 마음을 정화하는 샤머니즘 축제라고 했잖아요? 나중에 알고 보니 여기서 말하는 '고행'이 바로 저 말도 안 되는 물건들을 볼이나 혀에 꿰는 의식이었던 겁니다. 몸과 마음을 정화하는 이들에게 아홉 신이 들어오는데, 그러면 어떤 고행을 해도 피를 흘리지도, 고통을 느끼지도 않는다는 것이었습니다. 하지만 피를 흘리는 사람은 분명히 있었어요. 생각보다 안 흘리는 사람들도 있었지만.

개인적인 생각입니다만, 원래는 쇠꼬챙이를 꽂는 정도였던 것 같은데, 마치 누가 더 대단한 신을 모셨는지, 누가 더 대단한 고행을 하는지 경쟁하듯이 무시무시한 물건들을 달고 나오는 것 같았습니다. 마치 우리나라의 무당이 작두를 타면서 강한 신이 내렸다는 것을 알리는 것처럼요. 모든 무당이 작두를 타지는 못하니까요. 하지만 이 괴기스러운 광경이 끝이라면 얘기를 꺼내지 않았을 겁니다.

너무 끔찍해서 피어싱을 한 사람들의 얼굴을 자세히 들여다볼 수는 없었지만, 잠깐씩 보는 얼굴들 중에 어떤 이들은 얼굴이 두 겹으로 보인다고 해야 할까요? 마치 뭔가가 씌어 있는 것처럼 또렷한 한 사람의 얼굴이 아니라 하나가 덧씌어진 듯이 보이는 사람들이 있는 겁니다. 그런데 그건 제 눈에만 그렇게 보인 거였어요. 남편의 눈에는 그렇게 보이는 사람이 없다고 했습니다. 하긴 그건 물리적으로 두 겹으로 보이는 게 아니었어요. 뭐랄까 신이든 귀신이든 뭔가에 씐 사람이라는 느낌이랄까. 사실 저희 가족 중에는 무당인 분이 계십니다. 하지만 저는 영안이 있는 사람이 아니라서 이런 현상을 본 게 처음이었어요. 충격적인 광경에 더해 어안이 벙벙한 상태였습니다.

'뭐야? 이 과경은.'

그런 현상에 조금 익숙해지니 구분이 되더군요. 뭔가에 씌지 않고 얼굴이 명확히 보이는 사람은 피를 줄줄 흘리거나 고통스러워하는 사람들이 많았고, 겹으로 보이는 사람은 씐 것이 무엇이든 간에 상대적으로 괜찮아 보였어요. 하지만 아홉보다 훨씬 많아 보였는데.

그때 갑자기 누군가 저에게 이렇게 말했습니다.

"아이야, 여기는 네가 올 곳이 못 된다. 나가거라!"

한국말로 말한 건 아닌데, 뜻이 들렸다고 할까요. 누군지 둘러보니 볼에 몽둥이같이 무시무시한 걸 끼운 사람이 저를 뚫어져라 쳐다보고 있었어요. 그러자 옆에서 따라다니던 사람들이 실 같은 걸 나눠 주더군요. 그러더니 그걸 제 손목에 묶어줬습니다. 행운을 빌어 주는 것 같았어요. 눈앞에서 보기가 정말 끔찍해서 길게는 못 봤는데 그 사람도 얼굴이 두 겹으로 보였습니다. 겹쳐진 얼굴도 마치 절의 문을 지키는 수문신*처럼 무서운 얼굴이었어요. 하지만 몽둥이를 볼에 달고 있는 무시무시한 모습과 달리 뭔가 다정한 느낌이 들더라고요.

"자기야, 저 사람이 나한테 하는 말 들었어?"

"어? 무슨 말?"

남편은 못 들었다고 했습니다. 하지만 전 분명히 들었어요. 그렇지만 말이 아니라 뜻이 들렸다는 건 그것대로 또 이상한 일이잖아요. 그리고 왜 저를 아이라고 부르며 나가라고 하는지. 생리 중인 것도 아닌데 말이죠. 정말 이상한 일투성이였습니다. 그리고 그 말대로 저는 더 이상 저 행렬을 보고 싶지 않았어요.

"이제 가자. 더는 못 보겠어."

* 문을 지켜서 불행이 들어오지 못하게 막아 준다는 귀신.

남편과 함께 발걸음을 돌리려는데, 언제 나타난 건지 볼에 꼬챙이를 열 개는 꿴 사람이 다섯 걸음 정도 앞에 있었습니다. 그런데 눈이 마주친 건 그 사람이 아니었어요. 그 사람에게 씐 것과 마주친 겁니다. 둘의 시선이 달랐어요. 그것은 앞서서 느꼈던 다정한 느낌과는 완전히 달랐습니다. 눈이 마주친 순간 등에 쫙 소름이 돋으면서 싸한 기운이 느껴졌어요. 바로 그때.

"큭큭큭, 봤다."

기분 나쁜 웃음소리와 함께 그것이 저를 보며 웃는 겁니다. 그 몸체와 상관없이 말이죠.

저것은 신이 아니었어요. 잡귀인지 뭔지 모르겠지만 좋은 귀신은 아니라는 게 온몸으로 느껴졌으니까요. 저는 그것과 멀어지려고 남편의 손을 끌고 서둘러 걸음을 옮겼습니다.

그것은 저희가 걸어가는 모습을 눈을 떼지 않고 지켜보고 있었나 봅니다. 몇 걸음 안 가 제가 돌아봤을 때, 그것이 괴이하게 웃더니 씌어 있던 사람으로부터 빠져나오는 게 보였어요. 아니, 저에게 보란 듯이 빠져나왔다는 게 맞는 표현일 겁니다. 그것이 빠져나오자 볼에 꼬챙이 더미를 꿰고 있던 사람은 그 자리에 쓰러지고 말았어요. 그 주변에 있던 사람들이 놀라 쓰러진 사람에게 몰려들었지만, 저는 남편을 붙잡고 도망치기 바빴습니다. 왜냐하면 그것이 저를 따라오고 있었으니까요. 그것은 하얗게 센 머리를 풀어헤치고 등이 구부정한 노

파의 모습을 하고 있었습니다.

"왜 따라오는 거야! 나 왜 저런 거 보여, 안 보였는데! 으흑……."

제가 거의 뛰다시피 하면서 울먹울먹 중얼거리자 남편도 제가 이상한 걸 느꼈는지 제 손을 꼭 잡고 이끌듯이 걸음을 재촉했습니다.

그렇게 행렬에서 멀어지나 싶었는데 뒤를 돌아본 순간, 저는 경악하고 말았습니다. 따라오던 그 노파가 사라졌다 나타났다. 그런데 나타날 때는 아까보다 훨씬 앞에서 나타났어요. 마치 징검다리 건너듯이 앞사람을 타고 넘어오는 것이었습니다.

"아아악!"

제가 기겁을 하면서 소리쳤고, 바로 그때 제 뒤쪽에 있던 사람에게 노파가 빙의되고 말았습니다. 노파 얼굴이 겹쳐 보이는 그 사람이 손에 들고 있던 나무 그릇 같은 걸로 저를 내리치려 하는데, 누군가 저를 막아섰습니다. 남편이었어요. 미처 피할 새가 없어서 남편이 몸으로 저를 막고 대신 맞아 준 겁니다.

"자기야!"

하지만 감동할 틈도 없었어요. 얼마나 세게 맞았는지 남편은 비틀거리며 주저앉았고, 그 틈을 탄 노파는 다시 튀어나와 제 팔을 붙잡고 말았습니다. 그런데.

"왜…… 왜 나를 튕겨 내지? 너 정체가 뭐야?"

하며 저를 뚫어지게 노려보던 노파가 뭔가 알아챈 듯 괘씸하다는 투로 말하는 겁니다.

"너! 이미 다른 영을 담고 있구나!"

그게 무슨 말일까요? 저는 신내림도 안 받았는데. 어리둥절한 저는 노파에게 잡힌 팔을 몸부림쳐서 떼어 냈어요. 노파가 보이지 않는 다른 사람들은 제가 미친 것처럼 보였을 테죠. 어느새 몸을 털고 일어난 남편도 어쩔 줄 모른 채 저를 보고 있더라고요.

노파의 손이 저에게서 떨어지자마자 저는 남편을 붙잡고 달리려 했어요. 그런데 그때 노파의 눈이 남편으로 향했습니다.

"안 돼!"

저의 외침과 동시에 노파가 히죽 웃더니, 곧 남편의 얼굴에 노파가 겹쳐 보였습니다. 순간 왈칵 눈물이 날 것 같았어요. 제가 붙잡고 있던 남편의 손이 어느새 저의 목을 조르기 시작했습니다.

"컥, 자기야……. 커헉!"

제 목소리에 반응하는 건지, 목을 조르는 손의 힘이 풀렸다 세졌다 하고 있었고, 저는 어느새 바닥에 떠밀려 바닥에 주저

앉아 숨이 꼴깍꼴깍 넘어가고 있었습니다.

"컥…… 컥."

천만다행히 그곳은 대낮의 길거리였죠. 근처에 있던 사람들이 달려들어 남편을 떼어 내려고 했습니다. 부부로 보였던 사람들이 갑자기 상대를 죽이려고 하니 이상해 보였던 거겠죠. 그런데 사람 몇이 달라붙었는데도 남편이 떨어지지 않았어요. 숨이 넘어가는 중에도 남편의 눈이 허옇게 까뒤집힌 게 보였습니다. 이렇게 죽는 건가 싶었어요.

"커헉……."

그런데 사람들도 그걸 보았는지 갑자기 남편 주변으로 폭죽을 가져와 터트리기 시작했어요. 바로 옆에서 폭죽 터지는 소리가 어마어마하게 들렸고, 그제야 제 목에서 남편의 손이 떨어져 나갔습니다. 나중에 알고 보니 태국에서는 귀신을 쫓는 행위 중의 하나로 폭죽을 터트린다고 하더라고요. 뜨거운 파편에 맞아 둘 다 화상을 살짝 입었지만, 폭죽의 효과인지 남편에게서도 그 주변 누구에게서도 노파의 얼굴은 보이지 않았습니다. 저와 남편은 그렇게 길거리에 탈진하듯 쓰러졌고, 주변 가게 주인들의 도움으로 잠시 휴식을 취한 후 그곳을 빠져나갈 수 있었습니다.

남편은 그 순간을 기억하지 못했는데, 제 목에 난 손자국을 보고 캐물어 어쩔 수 없이 말해 줬고, 서먹하고 침울하게 신혼여행은 끝이 났습니다. 하지만 한국에 돌아와서 저희의 우울했던 모든 기억은 싹 사라졌습니다. 그리고 그 축제에서 본 모든 이상한 것들에 대한 퍼즐이 맞춰졌습니다. 제가 임신을 하고 있었던 겁니다. 혼전 임신, 알았다면 그런 축제는 보자마자 피했을 텐데, 돌아와서야 입덧이 시작되어 알게 된 거죠. 그제야 그 노파가 왜 저에게 영을 담고 있다고 했는지, 처음 본 신이 저를 아이라고 부르며 올 곳이 못 된다고 했는지 알게 됐습니다. 그리고 영안*이 없던 제가 그것들을 볼 수 있었던 건 아이의 영향이 아니었을까 생각해 봅니다. 다행히 지금 저희 아이에게 영안의 능력은 없습니다.

어쨌든 제가 겪은 일과는 별개로 푸껫은 정말 아름답고 볼거리도 많은 휴양지입니다. 그렇지만 그 축제는 매년 진행되고 있다고 하니까요. 일부러 그 축제를 찾아가는 게 아니라면 신혼여행으로는 음력 9월 초를 피하시는 게 어떨까 합니다.

* 영묘한 눈. 흔히 영적으로 살펴 분별할 수 있는 신비한 능력을 말한다.

작가의 말

    '귀신의 존재를 믿느냐'라는 질문에, 단호하게 '귀신은 있다'보다는 '사람 눈에 보이는 게 세상의 전부가 아니다'가 더 정확한 저의 입장입니다. 그래서 평소 오컬트 장르를 좋아하지만, 영상용 대본과 시나리오만 쓰던 제가 책을, 그것도 귀신이 등장하는 괴담을 쓰게 될 줄은 몰랐습니다. 이 책을 쓰는 과정 전체가 저에게도 무척 재미있으면서도 오싹한 경험이었습니다. 이야기의 구성은 사람들이 겪은 사연을 바탕으로 구성했으며, 사연자의 인터뷰를 진행하면서 느낀 점은 앞서 언급한 내용처럼 '사람 눈에 보이는 게 세상의 전부가 아니다'였습니다. 그분들의 신분을 밝힐 수는 없지만, 한 가지 분명한 건, 세상에는 과학으로 설명할 수 없는 기이한 일들이 발생하고, 그것을 체험한 사람들이 분명히 존재한다는 것이었습니다. 직접 보거나 체험하기 전까지는 믿을 수 없는 괴이한 사건들이기에, 어디부터 어디까지가 진실일지는 오로지 여러분의 상상에 맡기겠습니다.

수많은 괴담을 접하고 실제 사건이나 장소들을 조사하면서 알게 된 사실이 있습니다. 사건을 겪은 당사자는 물론이고, 그들에게 나타난 존재도 원래는 사람이었기에 각자의 성격, 각자의 사연, 각자의 인과를 가지고 있다는 것을 알게 되었습니다. 또한 '묻지마 범죄'처럼 그저 이유 없이 재미로 남을 괴롭히는 경우도 있지만, 그들만의 한과 애절함, 분노, 고통 등이 담겨 있는 경우도 많았습니다. 보다 보니 빌런 역이 귀신일 뿐 사람들 사는 모습과 다를 바 없다는 생각이 들었습니다. 그래서 이 글을 쓰면서 제가 정했던 목표가 하나 있습니다.

'단지 재미있는 공포 이야기가 아니라 사람의 이야기를 쓰자.'

그저 킬링타임용 무서운 이야기로 끝나는 것이 아니라, 결국 이 괴담들도 '사람의 이야기'라는 것을 표현하고 싶었던 것 같습니다. 저의 목표가 잘 이루어졌을지 모르겠네요. 그렇지만 가장 큰 바람은 재미를 드리는 것입니다. 이 책을 읽는 시간만큼은 부디 저의 이야기들이 짧게나마 독자분들에게 재미를 드릴 수 있기를 바랍니다.

끝으로 귀한 기회를 주신 '네오픽션'의 음수현 차장님과 출판이라는 대담한 결정을 내려 주신 정은영 대표님, 그리고 너무나 멋진 삽화로 부족한 저의 글을 살려 주신 조승엽 그림 작가님께도 감사의 말씀을 드립니다. 무엇보다 이 책을 읽어주신 독자 여러분께 진심으로 감사드립니다.

ⓒ 이정화 · 조승엽, 2024

초판 1쇄 인쇄일 2024년 6월 21일
초판 1쇄 발행일 2024년 6월 28일

지은이   이정화
그린이   조승엽
펴낸이   정은영
편집   음수현 김명선
디자인   이도이
마케팅   최금순 이언영 박채윤 연병선 최문실 윤선애 이유빈
제작   홍동근

펴낸곳   네오북스
출판등록   2013년 4월 19일 제2013-000123호
주소   04047 서울시 마포구 양화로6길 49
전화   편집부 (02)324-2347, 경영지원부 (02)325-6047
팩스   편집부 (02)324-2348, 경영지원부 (02)2648-1311
이메일   neofiction@jamobook.com

ISBN 978-89-544-5067-6 (03810)